教育の
ディープ
ラーニング

世界に関わり世界を変える

マイケル・フラン
ジョアン・クイン
ジョアン・マッキーチェン
著

松下 佳代 監訳　　濱田 久美子 訳

DEEP LEARNING

Engage the World Change the World

MICHAEL FULLAN

JOANNE QUINN

JOANNE McEACHEN

共同創立者のグレッグ・バトラーに。
今の私たちを見てください！

Deep Learning: Engage the World Change the World
by Michael Fullan, Joanne Quinn, Joanne McEachen
Copyright ©2018 by Corwin Press, Inc.（A SAGE Publishing Company）
English language edition published
by SAGE Publications of London, Thousand Oaks, New Delhi.
The copyright of the Japanese translation is jointly held
by AKASHI SHOTEN and SAGE Publications,
arranged through Japan UNI Agency, Inc., Tokyo.

日本語版序文

　私たちの共著書 *Deep Learning: Engage the World Change the World* の日本語版が日本の教育者、生徒、保護者に向けて刊行され、さらに広く日本の教育システムに関わる人々に利用できるようになることを非常に嬉しく思っています。「ディープラーニング」は本質的に質の高い学習で、学習者の生涯にわたって生き続けます。ディープラーニングは、**グローバル・コンピテンシー**（6Csとして知られるキャラクター（character）、シティズンシップ（citizenship）、コラボレーション（collaboration）、コミュニケーション（communication）、クリエイティビティ（creativity）、クリティカルシンキング（critical thinking））、**ディープラーニング・デザインプロセス**（教育実践、学習パートナーシップ、学習環境、デジタルの活用という4要素）、**背景的条件**（学校、学区／地域、システム）という3つの重要な構成要素からなります。

　ディープラーニングは真正の問題に関する知識の形成において、教育法（pedagogy）を伝統的な「知識の伝達者としての教師」から「積極的な学習者としての生徒」に移行させます。学習の焦点は、生徒の目的意識と意味、教師・他の生徒・地域社会に対する帰属意識を中心に置くようになります。ディープラーニングには、気候、不平等、紛争に関する重要な社会問題のほか、関連する世界的問題の探究も含まれます。ローカルなものもグローバルなものも含めて、こうした問題に欠かせないのが**学習**であり、学習は現代の重要な問題を理解して対処し、場合によってはよりよい方向に向かうよう社会に影響を与えるために不可欠と考えられます。「世界に関わり世界を変える」というテーマは、最良の学びの実現という意味でも、教育と人類の未来の最善の進化という点でも、ディープラーニングの中核になっています。

　ディープラーニングの目的は、複雑に進化する地球システムに対応し、そのなかで活躍し、貢献することができる市民として生徒を育成することです。また、ディープラーニングは正真正銘の「システム指向」です。生徒、教師、保護者、地域社会の活発な参加を可能にします。その意味で、ディープラーニングはまさにシステム変革を促す「ボトムアップ」のエネルギーです。同時に、現場、中間（地方自治体）、州というすべてのレベルでの協調が必要です。ディープラーニングがめざすのはシステム全体の発展です。そして実際にはそれに留まらず、そうした発展をグローバルな協力と全人類の向上の点からみています。

　私たちはディープラーニングとその包括的な役割が、日本の価値観、目的、願望に合致すると考えています。ミクロレベルでは、日本は「授業研究」と教師主導の研究や改善における先駆的な取り組みでよく知られています。ディープラーニングはまさしく発展を促すボトムアップのエネルギーであり、日本の現場が持つ強みの上に築くことができます。生徒の役割の強化と教師との協働は、日本の教育における現在と将来の目的に適っています。

それに加えて、システム全体に着眼するディープラーニングは、日本における全国的・世界的な教育開発の将来について、3つのレベル（現場、中間、トップ）全体でのさらなる議論を刺激するでしょう。OECD全加盟国も非加盟国も、現在、可能性のある必要な改革の点からみたそれぞれの教育システムの本質や、他国との関係の再考を進めています。国レベルの開発の緊急性とグローバルな結びつきは、過去2〜3年の間に急速に高まってきました。ディープラーニングを早急にそうした開発の要にしなければなりません。

　要するに、今ほど適したタイミングはありません。互いに熱心に学び合う10か国からなるディープラーニングシステムの国際的なパートナーシップをコーディネートしているのも、私たちの強みです。私たちは「ディープラーニングのための新しい教育法（New Pedagogies for Deep Learning, NPDL）」（www.npdl.global）で、日本の教育システムの今後の発展に期待を寄せ、ともにグローバルな規模で学べることを心待ちにしています。

2020年6月

マイケル・フラン（Michael Fullan）

ジョアン・クイン（Joanne Quinn）

ジョアン・マッキーチェン（Joanne McEachen）

目　次

第Ⅰ部　世界に関わり世界を変える

第1章

第2章

第Ⅱ部　生きた実験室

ディープラーニングを推進力に

　ディープラーニングは性質と目的の点で、これまでに試みられた他のどの教育革新とも異なる。ディープラーニングは成果——本書で言うところのCから始まる6つのグローバル・コンピテンシー（6Cs）、すなわち**キャラクター**（character）、**シティズンシップ**（citizenship）、**コラボレーション**（collaboration）、**コミュニケーション**（communication）、**クリエイティビティ**（creativity）、**クリティカルシンキング**（critical thinking）——を変える。また、個人にとっても集団にとっても有意味な問題に焦点を合わせて、生徒や教師、家族などの役割を恒久的に変えるようなやり方で掘り下げることにより、学習を変革する。

　多くの場合、ディープラーニングはシステム全体に、つまり一握りの個人でも少数の学校や学区でもなく、システムのすべての構成員である子どもにも大人にも同様に影響を与える。仮に非常に高潔な大志——システム全体の公平性と卓越性——を抱いているとして、それにいったいどうやって取り組めばよいのか？　これこそが本書のテーマである。私たちは問題を解決したとまでは言えないが、ほとばしる新しいエネルギーを解放し、それに対応する洞察（これらについてはさまざまな章で取り上げる）を深める一翼を担ってきたと言うことはできる。私たちは学校システムに関わるパートナーとともに、教育変革の道を大きく前進してきた。一方で、是が非でも解決策が必要な人や流されやすい人にとっては、見込みのある新しいものなら何でも、つい飛びつきたくなる魅惑的な解決策にみえることがあるのも承知している。そのため、ディープラーニングがギリシャ神話に登場するセイレーンの呼び声——不幸な結末になりかねない場所へ人をおびき寄せようとする魅惑的なもの——になってしまうのではないかとの懸念もあるだろう。救世主になると私たちは考えているものの、本書で論じる変革が大変な努力を必要とし、カウンターカルチャー的であることも認識している。

　プル側では、テクノロジー関連の学習開発が非常に多く進行しており、急拡大の流れは止まりそうにない。学習が基礎をなす駆動輪となり、テクノロジーは強力なアクセルになりうると考えられる。公平性の拡大を求めて闘う者をはじめ、現在の教育システムに不満を抱く者は、当然のことながら新しい結果を待ちわびている。そうした苛立ちは過剰な要求につながる恐れがある。2017

> 学習が基礎をなす駆動輪となり、テクノロジーは強力なアクセルになりうると考えられる。

年7月21日号の『エコノミスト』誌の表紙は、脳のイラストと「学習の未来：テクノロジーは教育をどのように変革するのか（The Future of Learning: How Technology Is Transforming Education）」というキャプションで飾られている。その内容は、主としてゲイツ財団が資金を拠出してランド研究所が実施した調査研究をベースにしており、記事のタイトルは「進捗報告：個性化学習の実施と効果に関する洞察（Informing Progress: Insights on Personalized Learning Implementation and Effects）」である（Pane et al., 2017）。この調査研究では、「次世代学習チャレンジ（Next Generation Learning Challenge, NGLC）」の「ブレイクスルー・スクール・モデル（Breakthrough School Model）」プログラムに参加する約40校が対象となった。そうした学校の4分の3がチャータースクール［訳注：親や教師、地域団体などが、州や学区の認可（チャーター）を受けて設立した学校］で、概して小規模であった（生徒数は小学校で230人、高等学校で250人）。いずれも、「生徒一人ひとりのニーズと目標を明確に理解することを最優先し、そうしたニーズや目標に対応するよう教育を適応させること」（Pane et al., 2017, p. 2）と定義される「個性化学習（Personalized Learning, PL）」を推進していた。こうした個性化学習の実施校を、執筆者らが「従来の学区の学校」で「より一般的にみられる実践」（Pane et al., 2017, p. 3）を代表している全国サンプルと比較した。個性化学習の有望性を示す指標がいくつかあったものの、全体的な結果からみると、これら2つのグループの学校間に大きな差異はなかった。

　個性化学習はディープラーニング・モデルのごく一部にすぎず、件の比較には特別な「ブレイクスルー・スクール・モデル」の学校群が含まれているため、控えめに言っても印象に残るような結果ではない点に注意する必要がある。次世代学習チャレンジのサンプルでは、

> 学校は程度の差こそあれ一定の個性化学習を実施していたが、理論で予測されるほど従来の学校と根本的に異なってみえる学校は1校もなかった。(Pane et al., 2017, p. 2、強調著者)

それに加えて、

> さらに実施の困難な面、たとえば、進捗状況と目標について生徒と教師が話し合うこと、生徒の強み・弱み・目標を最新の状態で記録しておくこと、生徒がテーマや教材を選択することなどでは、全国的な学校での実践との差異が見受けられなかった。(Pane et al., 2017, p. 2)

　冗談じゃない！　ランド研究所による調査研究はまあいいだろう。公立学校の変革を喉から手が出るほど欲しがっているのは『エコノミスト』誌であり、

それを生みだそうとしているのだ。同誌は前提のいくつかは正しく理解している。「テクノロジーと教師はともに学校教育を刷新することができ」、また「教育テクノロジーによって、不平等を拡大ではなく確実に縮小できる」（Economist, 2017）という記述にそれがみてとれる。しかし、そのための方法についての戦略も行動理論も述べられていないのである。前述のランド研究所による調査からわかるとおり、特権的な学校でさえ、機会がある場合でも、実践の変革にあまり深く取り組んでいないのである。本書はそうではない。本書はディープラーニングの包括モデルと、7か国の多数の公立学校における実際の進捗状況に基づいている。優れたテクノロジーが優れた学びを促すことができるというのは事実である。開発途上国では、本書で取り上げるウルグアイでの事例のように、低コストの新しい適応型ソフトウェアが、社会経済的に恵まれない多くの学習者に影響を与えるうえで非常に大きな効果を発揮しうる。

　私たちは2003年以来、精力的にシステム変革に取り組んできた。その方法として、システムの相当数の関係者と連携して、一緒に大きな変革を引き起こし、そこから教訓を引き出し、次はもっと良い変革を実施し、さらに教訓を引き出し……、ということを促してきた。私たちはそれを、両者の向上のために、情報に基づき理論を追求する実践と呼んでいる。私たちは多くの最善のアイデアが、研究そのものではなく優れた実践者からもたらされることを学んできた。

　変革の必要性と行動を起こす機会は収束しつつある。旧来のシステムは一握りの人にしか有効ではなく、成功者（良い成績を収めた者など）でも複雑性を増す時代を生きることとなると、それほど順調にいくとは限らない。一連の新たな危機によって、人間は他者との関係、地球や宇宙との関係について、再考を強いられているということである。現在私たちが直面している状況は、類のない構成を持った難題であり、学習を通じて積極的に世界を変えていくことを必要としている。別の言い方をすると、ブラジルの教育者で批判的哲学者であったパウロ・フレイレが、1960年代の農夫のために、またすべての人のために不可欠だと考えたものが、今、グローバル規模で起こりつつあるということである。フレイレが挙げているひとつの基本前提は、人間の「使命」は、主体として「世界に働きかけ、世界を変革することで、個人としても集団としても、より充実した豊かな生活という新たな可能性に向かって進んでいく」（Freire, 2000, p. 32）というものである。フレイレは続けて、移行の時代には（現在がそうした時代のひとつであることは言うまでもない）、人間は起こりつつある「未知の変革」と関わりを持つことがこれまでになく必要である、とも述べている。

　ディープラーニングがめざすのは、複雑で、実に不安に満ちた世界のなかに

> 一連の新たな危機によって、人間は他者との関係、地球や宇宙との関係について、再考を強いられているということであり、私たちが学習を通じて積極的に世界を変えていくことが不可欠である。

自分の居場所を見つけることである。そして、一人で学習し、また他者と一緒に学習することで、現実を変革することである。「ディープラーニング運動」に関して重要なのは、それが政策やトップ（政府）によって推し進められているのではないことである。ディープラーニングは「中間」（学区や地方自治体）や「ボトム」（生徒、教師）からパワーを得ている。賢明な政策立案者は、グローバル・コンピテンシーに満ちた市民が必要かつ望ましいことを認識するようになるにつれて、有望なディープラーニングの開発を支援し、ますます促進するようになるだろう。

　本書のベースは、世界中の学校システムと協力して実際に実施している取り組みにある。本書で示すように、現在のシステムは完全に支持を失いつつあり、本書は代替案であるとともにそれを明示することができる。さらに、本書で論じる新たな打開策が、「意図的な社会運動」としか呼びようのない展開において、生徒や家族、教育者の関心と注目を集めている。つまり、本書には現在の学校システムを変革する力があるのだ。とはいうものの、私たちが危惧するように、ディープラーニングという運動は脆弱なものであり、現状を維持するために働く強力な力によって飼い慣らされたり、取り組みが非常に複雑で困難になるために減衰したりする恐れもある。そのため、その成果はどちらにも転ぶ可能性がある——学習者と彼らが暮らす世界を変革する要としての刺激的な学習になるか、教師と生徒の生活に代わり映えのしない学習がまた続くことになるか、そのどちらの可能性もある——点に注意しなければならない。変化するものが多いほどよりいっそう現状にとどまろうとするものだ。それとも、今日の世界には何か違うものがあるのだろうか？　私たちはそう考えるからこそ、本書で学習の世界が現在よりもはるかに良い形になる可能性について論じているのである。

　抜本的な変革をもたらすためのアプローチは、システムに属する人々と連携することである。そのため、私たちはシステムのあらゆるレベル、すなわち各地域の学校やコミュニティ、中間レベル（学区、地方自治体、ネットワーク）、トップレベル（政府）と協力する。言うなれば、学習の生きた実験室において、システムを「再文化化（reculturing）」しようとしているのである。具体的には、「ディープラーニングのための新しい教育法（New Pedagogies for Deep Learning, NPDL）」と呼ばれるパートナーシップに参加する7か国（オーストラリア、カナダ、フィンランド、オランダ、ニュージーランド、米国、ウルグアイ）の約1,200校と協力している（各国に関する簡単な解説については付録を参照）。私たちはあえて「再文化化」という言葉を用いる。組織文化研究の先駆者であるエドガー・シャインは組織文化を、「あるグループが外部適応と内部

統合の問題に対処する際に学習した、共有する基本前提のひとつのパターン」
（Schein, 2010, p. 18）と定義している。ディープラーニングが表すのは、文化
の変革であり、プログラムの変革ではない。プログラムは拡大しないが、文化
は拡大する（Scott, 2017）。

プログラムは拡大しないが、文化は拡大する。

　そうした事例を挙げることでディープラーニングによるシステム変革が大規
模に起こっていると言うことはできないが、この取り組みに深く関与している
事例が一線を越えて増えていることは、システム全体の変革の可能性を確信さ
せてくれる。その他の朗報としては、世界の個々の学校でディープラーニング
が実践されている事例が数多くあるため、より大きな変革の梃子となることが
期待されるということである。

　最初にことわっておくと、障壁はとてつもなく大きい。不適切な政策、誤っ
た検証体制、権力者が保持しようとし、実際に悪化している不平等の拡大、公
教育への不適切で不平等な投資、新しいディープラーニングが正しい方向に向
いていて比較的短期間で成果をもたらすということを証明する難しさなどであ
る。

　本書で描写・記述しているとおり、生徒や教師、家族などの側によるディー
プラーニングの受容はすばらしく、一部の事例では目を見張るほどであるのは
わかっている。わからないのはディープラーニングが向かう先である。現在の
教育システムは機能しておらず、いずれにしろ今後20年で変容するか消滅す
るであろうことは、自信を持って言える。生徒はますます、退屈で疎外される
ような学校教育に耐えられなくなるだろう。そして、デジタル化されたグロー
バル世界のダイナミクスは、好むと好まざるとにかかわらず、根本的な変革を
引き起こすだろう。

　本書で示すアプローチは、ディープラーニングのテーマに取り組んでいる7
か国で起こっていることを把握することである。すでに起こっていることを理
解することが重要なのは、多くの点でそれが既存のシステムに属する人々から
起こっているからである。本書では、学校、学区、システムの変革をリードし
ている実践を明らかにする。NPDLのウェブサイト（www.npdl.global）にアク
セスすると、私たちがどのような団体なのか、何を行っているのか、なぜ行っ
ているのかを知ることができる。ウェブサイトには広範なコンテンツが掲載さ
れており、そのなかには本書の各章で言及したビデオなど、本書の各種情報源
のページもある。本書のオンライン情報源については、NPDLのウェブサイト
から入手することができる。

本書は3部構成である。

第Ⅰ部「世界に関わり世界を変える」では、「なぜディープラーニングなのか？」「ディープラーニングのディープとは何か？」「なぜディープラーニングが重要なのか？」について詳述することで、学習におけるシステム全体の効果的な変革のための舞台を整える。続いて、学校、学区、システムにおける学習の変革を主導するモデルを紹介する。

第Ⅱ部「生きた実験室」では、世界で多数の生徒、教師、家族に影響を与えている刺激的な社会運動について検討する。NPDLのパートナーシップを利用して、ディープラーニングの概念を定義し、ディープラーニングのデザインを促す要素を特定し、学習と授業の実践における迅速な転換を進める共同研究プロセスを明らかにし、ディープラーニングを普及させて現場、中間組織、システム、州、国レベルで広く活用されるよう支援するためのリーダーシップと条件を示す事例について考察し、ディープラーニングの進捗状況を評価・伝達するのに必要な新たな措置を検討する。

第Ⅲ部「不透明な未来」では、私たちがディープラーニングの行程で見つけだした新たな発見について明らかにし、一貫性をもたらす成果を究明し、変革が可能なのか、そして可能であればどのように可能なのかという問題を論じる。

ディープラーニングはこだわる価値のある学習である。フレイレ（Freire, 2000）に倣うと——そしてそれは本書の中心的な打開策であるが——、ディープラーニングは学習者を、（通常は他者と一緒に）世界に働きかけ、そしてそれゆえに学習者自身および世界そのものを変革する存在として位置づける。世界に関わり世界を変えることは、根本的には学習の命題である。それは生徒を刺激し、教師と保護者を刺激する。それは未来である。そして、本書である。

最後にひとつ、組織化を先行して進めてきた者として「すべての生徒・学生のための学習の変革」という問題を提示する。この問題が「公平性と卓越性」の両方に取り組む際に表面化してくるからである。こうした取り組みの過程で、私たちが現在「公平性の仮説」（Fullan & Gallagher, 2017）と呼ぶもの、すなわちディープラーニングはすべての人のためになるが、従来の学校システムから最も疎外されていた人々にとって特に有益である、ということが明らかになった。公平性と卓越性への悪影響を解消することは、社会的生存の要であり、ディープラーニングはその主役を演じる。ディープラーニングは、すべての人のために公平性と卓越性をもたらすことができるため、悪化の一途をたどる世界の不平等というきわめて有害な傾向を逆転させることができる。これは道徳的問題であるだけではなく、生存と、それに留まらず、繁栄の問題でもある。

公平性と卓越性への悪影響を解消することは、社会的生存の要であり、ディープラーニングはその主役を演じる。ディープラーニングは、すべての人のために公平性と卓越性をもたらすことができるため、悪化の一途をたどる世界の不平等というきわめて有害な傾向を逆転させることができる。これは道徳的問題であるだけではなく、生存と、それに留まらず、繁栄の問題でもある。

第Ⅰ部
世界に関わり世界を変える

学ぶ価値のあるものは、
いずれも
教えられないものである。

——オスカー・ワイルド

第1章

ディープラーニングの必要性と魅力

見えない関連性

　大きな変革はつねにプッシュ要因とプル要因との相互関係によって決まり、後者のほうが前者よりも強力である。従来の学校教育において、おそらく最も大きな内部のプッシュ要因は、控えめに言っても、意欲の低さであろう。リー・ジェンキンス (Jenkins, 2013) は、幼稚園から12年生を対象に、学級に積極的に参加している生徒の割合を調査した多くの研究者の一人である。ジェンキンスは、幼稚園と低学年では約95％の生徒が積極的に参加しているが、その後の割合は減少を続けて、生徒が11年生になる頃には約39％になることを明らかにした。生徒の視点か教師の視点かを問わず、他の研究でも同様の現象を報告している。生徒の多くが、往々にして関心からではなく成績のために参加していることも判明している。2016年のギャラップ調査は、生徒の少なくとも3分の1が「意欲を持とうとしない」、たとえば11年生は5年生よりも学習へのやる気が大幅に低いと報告している。これは非難しているというより、学校教育が150年前に制定されたため、もはや時代に合っていないことを裏付けている。

　学校教育の関連性が低下したと思わせるもうひとつのプッシュ要因は、将来の就職市場が予測できないだけでなく、ロボットの増加によって仕事が奪われ、就ける仕事の数が減少傾向にあることである。良い将来——それ自体は内発的動機づけになっていなかったが、実際にはそうなりえた——を確保するために学校を修了してきた多くの人々と比べて、今の世代は望ましい将来への道筋を思い描くことがなかなかできない。無力感がつのる貧困層やマイノリティ出身の生徒の場合には、こうした傾向はさらに強まり、学校が自分には関係がなく自分を気にかけてもくれないところにみえるために、ほとんど帰属意識を持てていない。

　率直な結論を下すことはできる。大多数の生徒には従来の学校教育に真面目に取り組む理由がない。学習という道の傍らには、誘惑を招いたり集中力をそいだりするようなものが数多く存在し、生徒の関心を学習以外のものに向ける。麻薬やデジタル世界、だらだらすることなどがそうである。一番楽な脇道は、充足感には至らなくても、最も抵抗が少なくすぐに得られる息抜きという

大多数の生徒には従来の学校教育に真面目に取り組む理由がない。

脇道だ。私たちが好きな変革の概念のひとつは、「～からの自由」対「～への自由」である（Fullan, 2015）。人は制約であれ退屈であれ、抑圧的なものから逃れようと一生懸命努力する。しかし、新たに見つけた自由に対して、どう対応すべきかという決断はあまりうまく下せない。実のところ、人は不正な企みや悪い仲間に染まりやすいことを示すエビデンスがある。著名な社会心理学者で精神分析医でもあったエーリッヒ・フロムによれば、人は完全な自由に対して不安と孤独を感じるため、「自由の重荷から逃れて新たな依存と従属を求めるか、あるいは積極的な自由の完全な実現へと進むかのどちらか」（Fromm, 1941, 1969, p. x）になりやすい。実現へと進むのはあまり容易ではないようである。そのため、孤立した状態が向かう先は、孤独で退廃した状態に留まるか、悪い仲間に加わるかということになる。こうした状況下では、人々を価値のある試みに引き寄せるために非常に強力なプル要因が必要になる。簡潔に言うと、ディープラーニングこそがそうした力になるのである。

しかし、憂慮すべき問題は他にもあり、それらは悪化の一途をたどっている。世界では紛争が起こっている。歴史的にみて他の時期ほど大きな紛争ではないかもしれないが、即座に目に入るため、グローバルにつながった今日の世界では、反応はより破壊的で恐ろしいものとなる。大きな見通し（この大きな世界はどこに向かっているのか？）と小さな見通し（私たちの居場所はどこなのか？）、これらは融合し続け、今では同一のものになっている。8歳以下の子どもでさえも日常的に不安を抱いている。今日では、世界は非常に不安定かつ透明であるため、これまでよりも多くの子どもたちが、これまでよりも早い段階から不安を抱き始め、その期間が長期化することで、文字通り脳が悪影響を受ける。また、情報との接触が急増しており、即時的である。代替手段がひとつも意味をなさないこともある。逃げだすことにもあまり魅力はなく、闘うすべを知ることや闘う対象を知ることさえも、どうすればよいかわからない。本書の目的は、有望だが多くの点で未知の領域に進もうとする人々を手助けすることである。この場合、良い学習者になることが究極的な自由なのである。

最後に、急拡大している有害なトレンドをもうひとつ示しておこう。それは都市部における不平等の拡大である。リチャード・フロリダが米国のトレンドを正確に詳述しているように、ますます多くの貧困層が「永続的な貧困に陥っている。……2014年には、米国では1,400万人が極度に貧しい地域で著しい貧困生活を送っていた。この数字は記録にあるなかで最も多く、2000年の2倍に上っている」（Florida, 2017, p. 98）。

本書は、永続的な貧困による意欲の低下を逆転させる際にディープラーニングが果たす役割を明らかにし、最終章ではディープラーニングを他の政策的解

決に結びつける。基本的なポイントは、社会的観点と人間的観点から、強力でポジティブで説得力のある解決策のための状況が間違いなく整っているということだ。すぐに打ち出せる解決策は、ディープラーニングである。なぜそう言えるのか？　その場合のディープラーニングとはどのようなものなのか？

ディープラーニングの魅力

　ここではディープラーニングの本質について説明し、私たちのモデルの詳細と多数の例については第2章で取り上げる。人間に人生の意味を与えるのは、目的や情熱を中心とする強いアイデンティティ意識、価値ある探究対象に対する創造性と習得（mastery）、世界や他の人々とのつながりである（同様のリストについてはMehta & Fine, 2015参照）。重要な問題は、この3つをどのように実現するのかということだけでなく、多くの人間――特に私たちの周囲の人々――でそれをどのように実現するのか、ということである。良い点は、多くの人間で成し遂げれば、波及力と相互扶助が持つ力のおかげで、1人ずつ取り組むよりも容易になるということだ。2014年にディープラーニングの行程に着手したとき、私たちはディープラーニングが説得力のあるアイデアだと考えていたので、「すべての人が目的、スキル、つながりを見出すことができるのか？」という疑問を提起することさえしなかった。多様な状況でディープラーニングを実践してみて、適切な条件下では没入型学習がすべての人に良い影響を与えることがわかり始めていたからである。こうしたことがわかったことにより、私たちは前述の「公平性の仮説」――ディープラーニングはすべての人に適しているが、特に有効性が高いのは学校教育から最も疎外されている人々である――に至ったのである。

　わかりやすく説明するために、私たちの取り組みから3つの事例を紹介する（次章以降ではさらに多くの事例を取り上げる）。第一の事例は学校で孤立していた小学生の男児、第二の事例はスウェーデンで持続可能性を学習するための学習旅行のメンバーに選ばれた女子生徒、第三の事例は学習に意味を見出せるまで学校をつまらなく感じていた男子生徒に関するものである。3つの事例の報告者は、いずれも当該の生徒の教師である。

> ディープラーニングはすべての人に適しているが、特に有効性が高いのは学校教育から最も疎外されている人々である。

孤立していた生徒

アレックス（カナダ・オンタリオ州の小学生）

　小学1年生の男児アレックスの視点から彼の体験談を語りたいと思います。9月に入学してきたとき、アレックスはひどく不安そうで自己評

価も低かったのですが、それは吃音であったために、自分は他のみんなと違っていると考えていたからでした。つっかえながら話すのをクラスメイトにどう思われるかを心配して、グループ課題にほとんど参加しようとしませんでした。自分の話を聞きたい人なんていないだろうと信じ込んでいたようで、わざわざそんな危険を冒したくないと考えていることは間違いありませんでした。

10月初旬、私のクラスでは多様なニーズを受けて、高校生のグループと協働学習をすることになりました。私たちの学校は高校から離れた場所にあったため、ほとんどの協働学習はGoogleハングアウトやGoogleドキュメント、GoogleスライドといったGoogleの教育アプリを用いて実施されました。テクノロジーを使うのに慣れるにつれて、また協働学習が進むにつれて、アレックスも成長しました。アレックスはこのディープラーニングのプロセス——現実世界の問題をチームで解決し、調査を通じて自分自身の学習に活かす機会を持ち、自分の考えを新しい方法で伝え、さらに自分の考えをクラスメイトだけでなく高校生にも認めてもらうこと——に熱中するあまり、このプロセスの一環として、思い切って話すということがごく自然にできるようになりました。すばらしい出来事でした！　これは1年生のときのことでした。

翌年、2年生になったとき、アレックスは学校の評議委員会の前で、自分の学習体験についてスピーチをしました。以下は彼のスピーチからの引用です。

> 「あまり話をしなかったときのことは今でも覚えています。みなさんの前でスピーチをできるようになるなんて思ってもみませんでした!! どうしてできるようになったのでしょうか？　その理由は1年生のときの学習です。」

彼はディープラーニングについてさらに詳しく話を続けました。

> 「僕のクラスで始まった学習にワクワクしました。自分の学習の仕方を選ぶことができました。テクノロジーを使って学習できるようになったことで、僕の脳が動き始めました。僕にとって一番重要だったのは、協働学習が毎日予定され、行われたことです。協働学習が僕にとって重要なのは、ほかの人とシェアすると僕のアイデアが膨らみ、それにつれて僕の脳も成長するからです。」

アレックスは今3年生で、彼を止めるものは何もありません！　私たちの学校は学習者のコミュニティとして集まり、算数を楽しみ、保護者に優良事例を紹介しました。アレックスはワークショップの算数トークの催しを主導しました。彼は協働し、参加し、すべての人の考えを認めることを保護者に奨励していました。9月のあの朝、かつてのアレックスが、不安いっぱいで話をするのを恐れて口を開けなかったのを見てい

なければ、かつての彼と私が今知っている彼が同一人物だとはとても信じられないでしょう。

6Cs、スウェーデンへ

マーラ（カナダ・オタワの中学生）

　マーラは「6Csスクール」と称する中学校の生徒です（6Csとは、キャラクター、シティズンシップ、コラボレーション、コミュニケーション、クリエイティビティ、クリティカルシンキングのこと）。学校の取り組みの一環として、13歳の生徒のグループは、校長や教師陣と一緒にスウェーデンを訪れて、持続可能性について学習する計画を立てました。以下はマーラの作文からの抜粋です。マーラは非常に創造性豊かな生徒で、学習旅行で訪れる12か所のうちの1つに応募する際、覚えておくべきことのリストと搭乗券などの必要な旅行書類を詰めこんだスーツケースを提出しました。そのなかには、6Csの重要性を伝える作文もありました。

　　「知らない人がいるかもしれませんが、6Csとは単なる単語でも学校のあちこちに貼られたポスターでもありません。私たちが気づいているかどうかは別として、私たちのライフスタイルの一部になっています。一部の人にとって、これらの言葉（6Cs）は特別なことを意味しないかもしれませんが、（私たちの学校では）学校生活やコミュニティに深く組み込まれています。私は自分が家で家族と一緒にいるときや、周囲の人々と交流するときに6Csを使っていることを知っています。」

　　「私がやりたいのは、私たちの学校とスウェーデンの学校の学校生活を比較すること、学校の友達や先生たちと思い出を作ること、学んだことをもとにコミュニティを改善するのに役立つヒントを持ち帰ること、場合によってはスウェーデンのハウスメイトに6Csを紹介することです。」

関わってこない生徒

クリストファー（カナダ・オンタリオ州の生徒）

　新学年が始まったときのクリストファーは、やる気がなく、休み時間や昼食までの時間を、しまいには下校時刻までの時間をカウントダウンしているように見えました。彼は私が注意を向けていた生徒のひとりであり、彼のそうした姿勢が原因で、4年生での学業成績に悪影響が出始

めるのではないかと危惧するようになっていました。

　英語を母語とする生徒にフランス語で行う今年のフランス語イマージョンの授業を、ひとりの生徒が述べた「子どもたちは世界を変えることができるのか？」というシンプルな問いで始めました。この質問が、社会的起業家精神とシティズンシップを取り込んだ1年間のディープラーニングの行程のどこまで私たちを連れていってくれるのかは、教師としてほとんどわかりませんでした。暮らしに変化を引き起こし、真に改善する方法について話し合いを始めると、クリストファーがとても生き生きしてきました。彼の手はつねに動いていて、アイデアは本当に革新的でした。彼を止めるものなどなく、彼の情熱は本当に教室の四方の壁を越えていきました。

　モントリオール銀行のビジネスパートナーの支援の下、生徒たちに、コミュニティのあるターゲットに製品かサービスを売ることを目標にプロジェクトを始めるという課題を課しました。何をするのかアイデアを考案するという課題が出されたとき、クリストファーがリーダーシップを取って、クラスの生徒と積極的に協働し、ブレインストーミングによって、がん研究用の多額の資金を得るために、説得力のある完璧なアイデアを生み出しました。最終的には一種のコンテストを開催して、製品とサービスをクラスに売り込むことになり、売り込みに成功したのはクリストファーのグループでした！　彼らのアイデアは、カスタマイズされたシリコン製のブレスレットをデザインして学校コミュニティに販売するというものでした。

　プロジェクト以外でも、私たちが出会って関係を育んだ学習パートナーシップは数多く、今でも生徒に刺激を与え続けています。クリストファーがいなければ、こうしたパートナーシップの多くは根づかなかったかもしれません。がん研究に関して1ドル1ドルの行き先をもっと把握すべきだと述べたのはクリストファーでした。その考えを受けて、こうした疑問のいくつかに答えを得るため、生徒たちはテリー・フォックス財団（私たちが支援しているがん研究のための財団）とGoogleハングアウトで連絡を取りたいということで意見がまとまりました。

　クリストファーの大変な意欲と熱意のおかげで、このプロジェクトは2016年10月から2017年6月まで続けられました。この行程を始めてから、彼が休憩時間に教室に残って、プロジェクトに結びつく作業（マーケティング、コミュニケーション、認知度の向上、資金調達など）をしてもよいかと訊かなかった日は一日もありませんでした。彼の心も頭も私たちが取り組んでいたことに向けられていました。学校に対する彼の姿勢は変わり、世界に変化を起こし続けたいという彼の熱い気持ちは、学校のさらに多くの生徒を刺激し、価値ある目的を支援するために独自のプロジェクトを起こすことになりました。

　今回のプロジェクトが、今年度が始まったときには想像できなかった形で、クリストファーの目を開かせたのだと心から言うことができます。グローバル・コンピテンシーの非常に多くがクリストファーの取り組みを通じて根づき、教育者として、現実世界の変革を求める彼の情熱に刺激を受けた私は、生徒に自分で自分の学習の舵を取り、独自の道を拓くのを任せました。生徒が意見を伝える力を持てば、取り組んでいるどんなプロジェクトでも、最初からは想像できない方向に進めることができます。

　言うまでもないことだが、優れた教師と連携しているそこここの学校でなら、上述したような生徒を個々に見つけることは間違いなく可能であろう。しかし、本書は学校システムに属する多数の生徒に関するものであり、それは学校や学区、地方自治体、さらには国全体の指導者が、そのシステム全体でのディープラーニングの実施を決定するためのものである。ほぼすべての生徒がディープラーニングによって成功することが可能なのか？　多数の生徒や教育者と協力した私たちの研究から、私たちはそれが可能であるだけでなく、世界の将来にとって不可欠であると考えている。

　ある生徒や生徒のグループが学習に持続的な関心を示さないとき、ほとんどの場合は、そうした生徒を能力がないとか言うことを聞かないとして片づける。そうした生徒に補習授業を行うこともあるが、傷口に塩を塗るようなもので退屈に退屈が重なったり、心理的な罰のようになって関わるための距離がさらに広がったりするだけである。私たちの活動を通じて明らかになりつつあるのは、「どの子も見えない人（every child is a hidden figure）」（優れた数学能力を持ち、NASAの宇宙計画の危機を救って将来の成功の構築に重要な役割を果たした、舞台裏の黒人女性たちを描いた映画『Hidden Figures』（邦題『ドリーム』）に基づく比喩）であるということだ。

　現在の社会から疎外されている生徒は、学習から最も遠い場所にいるが、今日の世界ではどの生徒も複雑なグローバル社会のどこに居場所があるのかを理解する必要がある。こうした子どもやティーンエイジャーの多くが、ストリートキッドや里子か、そうでなければ社会の主流から外れた存在として、完全に見えなくなっている。それに加えて、すべての生徒が、どれほど社会的・経済的に恵まれていても、いずれかの時点で自分が現代の波乱に満ちた海にいることに気づくだろう。どの人もある程度、自分自身に、他者に、そして世界にとって理解できない存在である。教育の役割は、障壁に対処するやり方で、個人が自分の殻を破ったり苦境を克服したりするのを手助けすることである。

　予備調査のデータからは、貧しい子どもも豊かな子どもも、疎外の道筋はとても多様でありうることがわかっている。若者を停滞した状況に置いたり、困難で不適切な活動に従事させたりすれば、彼らは教えようにも教えられなくなるだろう。しかし、同じ若者をディープラーニングの環境に置けば、彼らはすぐに世界を変革できるようになるだろう。そう言えるのは、私たちがそれを幾度となく目にしてきたからである。

ディープラーニングとは？

● より多く学び達成するという自分と他者の期待を高めるためのプロセスを提供すること。

● 個性化と当事者性によって、学習への生徒の関与を深めること。

● 生徒を「現実世界」に関わらせること。現実世界には生徒自身の現実と文化的アイデンティティが投影されることが多く、これは異文化出身の生徒にとって特に重要になりうる。

● 宗教的なものであるかどうかを問わず、大多数の住民が結びついている精神的価値に共感すること。

● 探究を通じてスキル、知識、自信、自己効力感を身につけること。

● 学習者、その家族、属するコミュニティ、教師との関係を新たに築くこと。

● 他者と関わって善いことをしたいという人間としての欲求を深めること。

挑　戦

　この挑戦は非常に困難なものだが、私たちはひとつの道筋を提案する。それは、「深めよ、さもなければ帰れ（go deep or go home）」である。そして、「広げよ（システム思考であれ）、さもなければ手を引け（be pervasive (system minded) or stand aside)」である。システムを進歩させることは信じられないほど難しいものになるだろう。しかし、私たちに唯一言えるのは、システムが成功するための要素がいくつも明らかになっており、世界で危機が悪化していることを考えると、他に実行可能な選択肢はないということである。こうした理由やその他の理由から、ディープラーニングは「ディープラーニングのための新しい教育法（New Pedagogies for Deep Learning, NPDL)」を採り入れている学校で定着しつつある。教育者、生徒、およびその家族は、ディープラーニングが持つ刺激と学習の可能性をひとたび経験すれば、ディープラーニングに傾倒し、彼らが他者と交流することで普及していく。3年の間に、ディープラーニングを採用する学校が7か国で500校から1,200校に増大するのを私たちは目にしてきた。ウルグアイでは100校から400校に、フィンランドでは100校から200校超に増え、オンタリオ州の3つの大きな学区では、学区内の学校

教育者、生徒、およびその家族は、ディープラーニングが持つ刺激と学習の可能性をひとたび経験すれば、ディープラーニングに傾倒し、彼らが他者と交流することで普及していく。

での採用率が10％から100％になった。だが、他の事例では、一部の学区やグループでそれほど急速に拡大しなかった。だから、ディープラーニングが変革に向かう必然的な道程であると言うつもりはない。現状維持を強化し、変革が始まるやいなやイノベーションを抑制するような力は多数存在する。しかし最終的には、鍵となる要素が導入され育まれれば、ディープラーニングが最適な推進力になることを、私たちは経験から知っている。

　すべての子どもが学べるのなら、すべての教師も学べるのだろうか？　学習の神経科学における驚くほど急速な発展は、最も恵まれない人々を含む、私たちみんなにとってゲームチェンジャーになるのか？　変革期における人間の最終的な使命は世界に関わり世界を変えることだ（これは前述のとおり、ディープラーニングの基本命題である）と結論づけたパウロ・フレイレ（Freire, 1974）は正しいのか？　若者は現状に固執しないだけでなく、「人類を救いたい」という情熱を持つことができるので、乳幼児までをも含む若者たちと協力することで、現状をひっくり返すのに必要な大衆を解き放つことができるのか？

　私たちの目的はディープラーニングを推進力にすることである。社会運動で人々を惹きつけるのは、大切な価値観を具体化し、新しい成果と効果を約束する新しいアイデアである。人を動かすのは特定の指導者よりもむしろそうしたアイデアなのだ。ディープラーニングをこの10年間の前向きなプル要因にしよう！　――たとえ実際に経験するまでわからないとしても、人々にはディープラーニングを経験する準備ができているのだから。

　次の2つの章では、実施されているディープラーニングの基本的な内容を述べよう。

ディープラーニングをこの10年間の前向きなプル要因にしよう！――たとえ実際に経験するまでわからないとしても、人々にはディープラーニングを経験する準備ができているのだから。

どんな愚か者でも知ることはできる。

重要なのは理解することである。

—— アルベルト・アインシュタインの名言

ディープラーニングの何が「ディープ」なのか？

学習を再考する

　複雑な激動の時代を力強く歩み、新しい状況に思考を適用し、世界を変えることができるような学習者を望むのであれば、学習——学ぶべき重要なことは何か、どのように学びを育むのか、どこで学びが起きるのか、どのように成功を測定するのか——を再考しなければならない。要するに、学習に挑戦し、学習を刺激し、促進し、賞賛する環境を整えることが必要とされる。この新たに概念化された学習プロセスを、私たちは**ディープラーニング**と呼んでいる。ディープラーニングは教育の新たな目的にならなければならない。

　実際に生徒に成功をもたらす環境とはどのようなものなのか、私たちは自問してきた。最近、オランダのデザイナー、建築家、イノベーターであるダーン・ローズガールデが、ある基調講演で学習プロセスを再考するための提言をいくつか発表して議論を呼んだ（2017年5月1日、トロントでのNPDLグローバル・ディープラーニング・ラボにて）。彼は自らを称して、機能的でありながらも美しく、インタラクティブで持続可能な環境を創成し、人類にとって世界をよりよいものにしたいと考える改革者であると述べた。彼はいつも「なぜ」と思うところから始める。たとえば、なぜ人は自動車に大金を投じるのに、道路は中世の設計のまま放置しておくのか、疑問に思い始めた。それをきっかけに、彼は昼間に太陽光を吸収し、夜間に発光する塗料を開発した。次にそのテクノロジーをフィンセント・ファン・ゴッホ美術館に持ち込み、現在ではある大きな公園で利用されている。彼はそこを訪れることがよりインタラクティブな経験になるように、レンガで自転車専用道路を作ったが、そのレンガは昼間に吸収した太陽光を利用して、夜間、道路に神秘的な光を灯し、暗がりを通る自転車利用者の道標となっている。その後、中国を訪れたローズガールデは、初日にホテルから見た景色が、翌日にはスモッグに完全に覆われてまったく見えなくなったことに衝撃を受けた。そこで、世界最大の空気清浄機を作って、大気中の汚染物質を吸い込み、炭素粒子を除去することで空気を清浄化しようと考えた。そうして誕生した装置により、設置された公園では空気が周囲よりも55％から75％清浄になった。続いて彼のチームは吸収した炭素を圧縮して、都市の空気清浄化に貢献するスモッグフリーリングという指輪を作った。チームは現在、同じ働きが可能な自転車の研究に取り組んでいる。これが

複雑な激動の時代を力強く歩み、新しい状況に思考を適用し、世界を変えることができるような学習者を望むのであれば、学習を再考しなければならない。

部分的な解決策である——本来ならば排出量そのものを減らす必要がある——ことを彼はためらうことなく認めている。しかし、これは適切な疑問を抱き、新しい考え方に対する障壁を取り除くとどうなるのかを実証している（さらに多くの例についてはhttps://www.studioroosegaarde.net を参照）。

　ローズガールデは、自分には普通の学校教育がしっくりこなかったものの、生来の好奇心に従い始めるやいなや、才能と情熱が溢れ出した、と率直に語っている。彼は子どもたちのために豊かな学習環境を整えようと教育者たちに提言する。

子どもたちの学習環境を整える方法
——ローズガールデの提言

1. 好奇心によって動かされ、「学習者が未来に影響を与え、未来を形成する」学習を創る。つまり、学習者自身と世界に関連する現実の問題に取り組むのである。
2. 生徒に問題の考案者になることを教える。これによって出発点が、「何であるか」と意見を考える思考から、「どんな可能性があるか」という提案を考える思考に移行する。
3. 正解のある問題ではなく、子どもたちが参加できる問題を提示する。すでに答えが出ている問題への解答を求める機会ではなく、これまでなかった多義的な問題に解決策を見つける機会を与える。
4. 学習とは思い切って挑戦するものであり、生涯続く冒険であることから、つねに半人前という意識で一人前を目指す生き方を促す。
5. 子どもたちが私たちの期待を超えることを信じる——子どもたちに、（知らないことを）恐れず、好奇心を持つことを教えると、そうなるのだ。
6. 革新する力と創造する力は、すべての人のDNAに刻まれていることを認識する。

　最後にローズガールデは、追求すべきことは、「自転車を再発明することではなく、自転車の新しい乗り方を見つけること」だと述べている。つまり、学習プロセスを創造する必要はないが、再定義する方法を見つけることが重要なのである。そうすれば、この生来持っている学びの可能性を解き放つことができる。喜ばしいことに、子どもたちは生まれつき好奇心が旺盛であるのだから、私たちは子どもたちの意欲を引き出しさえすればいい。必要なのは、発見したことを大切にしてそれに磨きをかけるという、「まず着手して学ぶ精神」であり、正誤で評価することではない。みんなが同じというわけではないことや、同じ学習の行程を進むわけではないことを尊重し称えあえる学びの場がなくてはならない。忍耐と情熱を育み、間違いを単なる間違いとするのではなく、そこから学ぶことのできる場を創り出す必要がある。学習者が夢を見るの

を後押しし、行動を起こす意欲を引き出す環境を整える必要がある。

2014年、私たちは複雑な世界ですべての生徒が成功できるようにディープラーニングを構築するにはどうすればよいか、という挑戦に着手した。「ディープラーニングのための新しい教育法（New Pedagogies for Deep Learning, NPDL）」というグローバルなパートナーシップを創設し、7か国1,200校以上が参加している。この「生きた実験室」の目的は、すべての生徒が必須スキルとグローバル・コンピテンシーを身につけられるように、学習プロセスを変革するための実践と条件を明らかにすることである。取り組み当初に得られたエビデンスによれば、生徒が変革をもたらす主体となって自分たち自身の学習に影響を与えながら、社会変革の触媒として行動していることが示されている。教育におけるこうした転換は、生徒、教育者、家族の区別なく、学習に関わるあらゆるパートナーの役割を変容させつつある。

そこで、この社会運動の一員である教室、学校、システムで何が起こっているのかを見てみよう。ディープラーニングを実践している教室に立ち寄ると、好奇心旺盛な生徒たちが互いに、教師に、家族に、そして地域や世界の専門家に自由に質問している姿が目に入るだろう。生徒たちは、世界の意味を理解しながら問題の解決やアイデアの調査に取り組んでいるので、話し合う声でつねにがやがやしている。誰もが非常に集中しており、訪問者であるあなたが注目されることはないかもしれないが、耳を傾ければ、生徒たちが何をやっているのか、なぜやっているのかを自分ではっきり話せることに気づくだろう。生徒たちは習得中のスキルと、その向上に必要な手段について説明することができる。課題に夢中になって時間を忘れ、想像力と興味をかき立てられるあまり、しばしば自宅でも週末でも取り組む。生徒たちはクラスメイトや地域住民に自分たちの取り組みについて誇りを持って説明するが、それはその取り組みが有意味で、真正で、自分たちに関連がある、すなわち変化をもたらすからである。

ディープラーニングが定着しつつある学校では、大人にも同様の行動が見られる。教室から教室へと移動すると、教師が歩き回って、個々の生徒や小グループと話し合い、質問し、資料を使うよう促し、タイムリーなフィードバックを与えているのがわかるだろう。教師は学習デザインや成長の評価について、教師同士で協働する。こうした学校では、実践の透明性と共通言語と共通の期待が浸透している。ミーティングでふつう焦点が置かれるのは、いかによく生徒が学習しているか、学習を加速・拡大させるためにどのようにツールやプロセスを活用するかであって、「問題のある」生徒について話し合うことではない。学校指導者は頻繁に教室を訪れ、学習をもっと良いものにする方法につい

て教師陣と議論をする。物質面や運営上の問題がなくなるわけではないが、それらは往々にしてデジタル方式や他のプロセスで処理され、面と向かって話をする貴重な時間を学習のために空ける。こうした学校では保護者はパートナーとして歓迎されており、積極的な役割を担う。保護者との面談では生徒の成長と学習に関するエビデンスを共有することに重点が置かれる。

　最終的に、ディープラーニングが加速しているところでは、システムが重要不可欠な役割を担っていることがわかる。教室や学校は独力でイノベーションを引き起こし、ディープラーニングの場を創り出すことができるが、不安定でもある。人々は来ては去り、傑出した指導者は転退出し、現状維持の波がじわじわと押し寄せてくる。一方、最も加速が大きかったところでは、システムが戦略的な役割を担っている。このシステムとは地方自治体や学区、集団やネットワークである場合もある。こうしたシステムのいずれかにある多数の学校を訪問すれば、共通言語と一連の期待に対する意識に気づくだろう。ディープラーニングとは何か、もっと多くの効果を引き出すにはどうすればよいかについて、対話を継続することから合意が生まれてくる。教師と指導者は実践を包み隠さず見せ、専門知、ツール、リソースを共有している。取り組みは賞賛され、外部のテストに執着することではなく、生徒の学習のエビデンスを手に入れ共有することに責任を負う。

　こうした新しいタイプの学習は、世界各地にみることができる。それは生徒、家族、教育者、政策立案者、社会全体の間で、学習における関係の位置づけを変えるとともに、一連の新たな成果を重視する。では、この意欲を引き出し、興味をそそる学習が、すべての学級、学校、システムで自然に根付いていかないのはなぜなのか？　私たちはこうした事例から新しい学習方法の雰囲気をつかむことはできるが、その普及についてはもっとじっくり考えなければならない。ディープラーニングが成功し、誰もが受けられるようになるには、「ディープラーニング」の意味をもっと明確にする必要がある。

ディープラーニングとは何か？

　NPDLのパートナー国は世界情勢の変化、つながり、社会の変化を認識している。それと同時に、生徒たちが直面しているのはこれまで以上に困難な世界であり、決まった知識を習得し、内容に基づいて成績がつけられる日々が過ぎ去ったことも理解している。つまり、経済協力開発機構（OECD）教育・スキル局長のアンドレアス・シュライヒャー氏が述べているように、卒業生が何を知っているかではなく、何ができるかで報酬を得ることになるという新しい動きが生じているのである（OECD, 2016）。決まった知識から、起業家精神、創

ディープラーニングが加速しているところでは、システムが重要不可欠な役割を担っていることがわかる。

造性、問題解決などのスキルへと向かうこの動きを通じて、この加速する世界を力強く歩んでいくのに必要な一連の新たなコンピテンシーが読み取れる。

　教師、リーダー、政策立案者は、生徒が人間的な市民として知識を習得し、振る舞うことができ、そして何より重要なことに、そのような存在になるために欠かせない特有のものは何なのかを、長い時間かけて話し合い、議論してきた。私たちは研究の結果、学習者が世界市民として成功するのに必要なスキルと特性を示す6つのグローバル・コンピテンシーを突き止めた。私たちの定義では、ディープラーニングとはそれらの6つのグローバル・コンピテンシー、すなわち「キャラクター（character）」「シティズンシップ（citizenship）」「コラボレーション（collaboration）」「コミュニケーション（communication）」「クリエイティビティ（creativity）」「クリティカルシンキング（critical thinking）」を獲得するプロセスのことである。これらのコンピテンシーには、思いやり、共感、社会情動的学習、起業家精神、および複雑な世界で高度な役割を果たすのに必要な関連スキルが含まれる。

　6つのコンピテンシーにシンプルな名前をつけるのは、ディープラーニングの意味を明確にするための一歩であったが、教育者や生徒、家族がその意味の深い理解を共有する助けにはならなかった。6つのコンピテンシーにはそれぞれ複数の要素がある。私たちの目的は、教育者の間で曖昧に理解されがちな一連の概念を明確にすることである。たとえば、クリティカルシンキングは最も理解しやすい概念であるのはまず間違いないが、クリティカルシンカーになるとはどういうことかと10人の教師に質問したら、返ってくる答えはまちまちであろう。また、そのクリティカルシンキングの深さをどのように測定するのかと尋ねれば、返答はさらに統一性のないものになる。そこで、各コンピテンシーに一連の定義を定めて示したものが図表2.1である。

　こうして具体化することで、コンピテンシーが実際にはどのようなものなのかについて、共通言語が得られた。教師、生徒、家族、およびリーダーは意見や視点を共有し始めた。詳細な定義は議論を導くのに役立つが、コンピテンシー育成の程度を測定したり、学習課題の差別化を促したりするにはまだ不十分であることがわかった。そこで、各コンピテンシーを育成して発達の進捗を測定するための道筋を定義する新たな方法を考案した。私たちはそれらを「ラーニング・プログレッション」と名づけた。

　スキルや能力といった言葉のほうが一般的で理解しやすいのに、「なぜコンピテンシーという語を使うのか」と尋ねる人もいる。私たちは「コンピテンシー」という語を用いて、知識とスキル、自己と他者に対する態度を合わせた一

ディープラーニングとはそれらの6つのグローバル・コンピテンシー、すなわちキャラクター、シティズンシップ、コラボレーション、コミュニケーション、クリエイティビティ、クリティカルシンキングを獲得するプロセスのことである。

第2章

図表2.1 ディープラーニングのための6つのグローバル・コンピテンシーの定義

第2章

キャラクター（人格）
- 学ぶことの学習
- やり抜く力、粘り強さ、忍耐力、レジリエンス（回復力）
- 自己調整、責任感、誠実さ

シティズンシップ（市民性）
- グローバル市民として思考する
- 多様な価値観と世界観への深い理解に基づいてグローバルな問題を考察する
- 人間と環境の持続可能性に影響を与える曖昧で複雑な現実世界の問題を解決するための真の関心と能力
- 思いやり、共感、他者への関心

コラボレーション（協働）
- チームで相互に助け合いながら、また相乗効果を発揮しながら取り組む
- 対人スキルとチーム関連スキル
- 社会的スキル、情動的スキル、異文化間スキル
- チームの活性度と課題を管理する
- 他者の学習から学び、他者の学習に貢献する

コミュニケーション（意思疎通）
- デジタルを含む多様なスタイル、様式、ツールを用いて効果的にコミュニケーションを取る
- さまざまな聞き手に対応したコミュニケーション
- コミュニケーションを改善するために学習プロセスを振り返り、利用する

クリエイティビティ（創造性）
- 経済的・社会的機会を捉える「起業家の目」を持つ
- 適切な探究型の質問をする
- 斬新なアイデアと解決策を考察し追求する
- アイデアを行動に移すためのリーダーシップ

クリティカルシンキング（批判的思考）
- 情報や議論を評価する
- つながりを作り、パターンを特定する
- 問題を解決する
- 有意味な知識を構築する
- 現実世界でアイデアを試し、振り返り、行動を起こす

連の重層的な能力のことを表している。「コンピテンシー」は、OECDが最近発表した報告書『包括的な世界のためのグローバル・コンピテンシー（*Global Competency for an Inclusive World*）』（OECD, 2016）のなかでも用いられており、同書では次のように述べられている。

> グローバル・コンピテンシーには、異文化間で起こるグローバルな問題に対する深い知識と理解の獲得、多様な背景を持った人々から学び、そうした人々と共存する能力、互いに敬意を持って交流するのに必要な態度と価値観が含まれる。（OECD, 2016, p. 1）

　一見したところ、私たちのコンピテンシーのリストは、21世紀型学習のための他のリストに類似しているようにみえる（「コラボレーション」「クリティカルシンキング」「コミュニケーション」「クリエイティビティ」は大半のリストに挙げられている）が、コンピテンシーを挙げることそのものにはあまり影響力はない。教育者、ネットワーク、委員会などは、20年以上にわたって21世紀型スキルについて記述してきたが、そうしたスキルを具体化するしっかりした方法や、スキルを評価する有効な方法はほとんどない。さらに、方法が注目されることも、大規模に具体化が試みられることも少なく、学習と教授の実践において有意な具体的変化を示すエビデンスもほとんどない。

　私たちのグローバル・コンピテンシー、すなわち私たちがよく「6Cs」と呼ぶものは、他の21世紀型スキルのリストとは3つの重要な点で異なっている。それは包括性、的確性、測定可能性である。

グローバル・コンピテンシー（6Cs）独自の特徴

　包括性：コミュニケーション、コラボレーション、クリエイティビティ、クリティカルシンキングの他に、私たちはキャラクターとシティズンシップを加えた。これら2つのコンピテンシーは、生徒が複雑な問題に注目し、自分たちの学習に責任を持ち、世界に関心を寄せて貢献できるようにするゲームチェンジャーであることを明示している。生徒が6Csすべてを利用している先ほどの例――ローカルに、またグローバルに人の役に立つための取り組みに集中しながら、やり抜く力と忍耐力というキャラクターに属するスキルを磨き、自分の学習を自分で主導している例――を思い出してほしい。キャラクターとシティズンシップは基礎をなす特質であり、クリエイティビティ、コラボレーション、クリティカルシンキング、コミュニケーションというスキルや行動を活性化する。最終的に、クリエイティビティ――4つのなかのありふれたひとつ――は、活用中の6Csすべてに浸透することで、触媒としての新たな役割を担う。永続する問題への新しい解決策である。

的確性：ディープラーニングをすぐ実行できるようにするということは、各コンピテンシーに関して、よりしっかりした特性とスキルの組み合わせを考案し、その進捗の程度を測定する方法を編み出すということであった。そこで、各コンピテンシーに対して、「ディープラーニング・プログレッション」を作成した。それぞれのコンピテンシーを5つか6つの側面に分けて、そのコンピテンシーを育成するのに必要なスキル、能力、態度の全体像を表す。図表2.2が示すのは、コラボレーションのディープラーニング・プログレッションの見本である。完全なラーニング・プログレッションは第9章に図表9.1として掲載している。プログレッションはディープラーニング経験をデザインするための専門的な対話の拠り所として、また学習プロセスの間にモニタリングと評価を行うシステムとしての役割を果たす。

測定可能性：ディープラーニング・プログレッションを利用して、生徒と教師は出発点を評価し、各コンピテンシーでの成功を語る共通言語を開発し、コンピテンシーの発達を促し、進捗状況をモニタリングし、一定期間における連続体上での学習者の成長を測定する。

コンピテンシーの定義の的確性とディープラーニング・プログレッションの堅牢性は、2つの点で重要である。ひとつは、それらが学習のデザインと測定において、生徒と教師と家族に共通言語を提供している点である。それによって、共同デザインと結果の共同評価が進展した。もうひとつは、ディープラーニング・プログレッションが豊かな議論の拠り所となって、学習のデザイン、モニタリング、測定において的確性と意図性の拡大につながっている点である。私たちが測定に取り組んでいるのは、ディープラーニングの成果としての6Csであり、この成果は生徒が中等教育後の人生に向けて獲得していくものである。

共通言語と6Csを使い始めると、教師はこれらのコンピテンシーが往々にして特定の特徴を有する学習経験のなかで育まれることに気づく（36ページのコラム「6Csを育む学習経験」参照）。

ディープラーニングが起きるのは、コンピテンシーを利用して、生徒と世界にとって価値のある問題や課題に取り組むときである。すべての人にとってディープラーニングは不可欠であるが、とりわけ恵まれない背景を持つ生徒や、従来の学校教育では十分な対応を受けられない生徒にとって、転換点となる。

ディープラーニングが起きるのは、コンピテンシーを利用して、生徒と世界にとって価値のある問題や課題に取り組むときである。

New Pedagogies for
Deep Learning
A GLOBAL PARTNERSHIP

図表 2.2　ディープラーニング・プログレッション：コラボレーション

コラボレーションのディープラーニング・プログレッション

チームの活性度と課題を効率的に管理する、一緒に本質的な決定をする、他者の学習から学び他者の学習に貢献するなど、強固な対人スキルとチーム関連スキルを用いて、チームで相互に依存しながら、また相互に依存しながら相乗効果を発揮しながら取り組む。

側面	不足	発現	進展	加速	習熟
チームとして相互に依存しながら取り組む	学習者は学習タスクに個々に取り組むか、2人またはグループで実現できるようにタスクの達成に協力するが、実際にチームと一緒に作業するわけではない。　学習者は一部の論点や内容について一緒に議論することもあるが、重要な実質的な決定プロセスの運営の仕方すぎる（グ）ど）はスキップするので、それがコラボレーションの運営に大きな実質的な影響をもたらず。	学習者は2人またはグループで協力し、グループが取り組みを実現できるようにタスクの専門知に合わせて作業が一緒に続いて2人またはグループで効果的に協力している。タスクの段階では、各人の強みや専門知に十分に合致していない場合もあり、グループメンバーの貢献度は等しくないこともある。　学習者はいくつかの決定を一緒にするようになるが、最も重要な実質的決定はまだ、1人または2人のメンバーに委ねられがちである。	学習者はどのようにしてチームのメンバーの個々の強みをよく知って専門知に合わせるかを一緒に決定し、続いて2人またはグループで効果的に協力して作業する。学習者は重要な論点、問題、プロセスに関する共同での決定や、チームとしての解決策の考案に、すべてのメンバーを関与させる。	相互に依存しながら、実質的な決定を適切に下してアイデアを解決策を考案するのに最良の形で各人の強みを利用できるように協力する方法について、学習者は明確に説明できる。　学習者それぞれの貢献が織りなす共同アイデアによって、包括的なアイデアにつながったり成果が生み出されたりするのに、相互に依存するチーム・ワークがはっきりとみてとれる。	学習者は各チームメンバーの強みを利用するだけでなく、そうした強みを各自に依存する形で、相互に依存にもたらす形で、相互に依存しながら取り組むための相乗効果的なアプローチを行動で示す。　それには、各チームメンバーの見方が取り入れられ、全員にとって有益で考えうる最良の決定に至るような深い水準で、実質的な決定が議論されるよう徹底することが含まれる。
対人スキルとチーム関連スキル	学習者は共同作業の成果物や成果に対しタスクで助け合う場合もあるが、対人スキルとチーム関連スキルはまだ顕在化していない。学習者はまだ真の共感や協力し合うための共通の目的を示していない。	学習者は取り組みに対して集団の当事者性として意識を報告し行動で示す。また、対人スキルとチーム関連スキルにもある程度みられる。焦点は共通または共同の成果、成果物、デザイン、対応、決定を実現することにあるが、重要な決定は1人または2人のメンバーが下したり方向づけたりすることがある。	学習者が適切な対人スキルと取り組むに対する集団的な当事者性を示すだけでなく、積極的な共同責任感を最後から最後まで、チーム・取り組みの目的、内容、プロセス、デザインについて効果的に傾聴し、交渉し、意見をまとめる。	学習者は取り組みとその成果物または成果に対する共同責任が、スク全体に及んでいることを明確に説明できる。傾聴、促進、効果的なチーム・ワークのための強固なスキルによって、すべての意見が聞かれ、取り組む方法や取り組みの成果物に反映される。	学習者はコラボレーションのプロセスが可能な限り効率的に機能し、各人のアイデアと専門知見を最大限に生かし、取り組みの成果がそれぞれの可能な限り高い質または個人として価値を持てるようにするために、集団としても積極的に責任を担う。

出典：McEachen, J., & Quinn, J. *Collaboration Deep Learning Progression.* Copyright © 2014 by New Pedagogies for Deep Learning™ (NPDL)

第2章

ディープラーニングが重要な理由

恵まれた環境の生徒も
恵まれない環境の生徒
もますます多く成功す
るようになっている。
公平性と卓越性は持ち
つ持たれつの関係なの
である！

前述のように、ディープラーニングのなかでは恵まれた環境の生徒も恵まれない環境の生徒もますます多く活躍するようになっていることから、ディープラーニングの取り組みから具体的にひとつのテーマが浮かび上がってくる。つまり、公平性と卓越性は持ちつ持たれつの関係なのである！ これらの2つの現象は互いに関係していて、公平性と卓越性の両方に取り組んだ場合にのみウェルビーイングを実現することができる、という結論に私たちは達している。世界から著しく切り離されていれば、そうでない場合よりも道のりがずっと長くなることもある。しかし、世界は非常に複雑になっているため、ほとんどすべての生徒に、世界に居場所を見つけるための力添えが必要であろう。

6Csを育む学習経験

1. 高次の認知プロセスを取り入れて、現代社会の内容や問題に関する深い理解に導く。
2. 複数の学問分野を横断する領域や問題への対処に没入する。
3. 学業面での能力と人格面での能力を融合する。
4. 活動的で、真正であり、やりがいがあり、生徒中心である。
5. 地域やそれよりもっと広い範囲で、世界に影響を与えるためにデザインされていることが多い。
6. 多様な状況で起こり、デジタルの活用やつながりを増やしていく。

ウェルビーイング

ウェルビーイングについて世界的に注目が集まっており、さまざまな国やOECDなどの機関は、生徒が力強く育つためには学業面の発達以上のものが必要であることを認識しつつある。オンタリオ州教育省では、ウェルビーイングを「認知的、情動的、社会的、身体的ニーズが満たされているときに感じる自己、精神、帰属についての肯定的な感覚である。それを支えるのは、私たちのそれぞれ異なるアイデンティティと強みへの敬意と公平性である」（Ontario Ministry of Education, 2016, p. 3）と定義している。幼少期や学校環境でのウェルビーイングとは、現在と将来の学習と達成を支える前向きで健全な選択ができるように、レジリエンスを身につける手助けをすることである。ウェルビーイングを増進するためのオンタリオ州のアプローチでは、4つの発達領域に着目している。その4つとは認知的、身体的、社会的、情動的な領域であり、それらの中心に自己と精神がある（図表2.3参照）。

図表2.3　ウェルビーイングに関する４つの発達領域

　ディープラーニングの活動と6つのグローバル・コンピテンシー（6Cs）は、神経科学の基本原理をベースにしており、これらの4つの領域に対応している。オンタリオ州の教育政策顧問の1人で小児精神科医のジーン・クリントンは、最近、私たちのディープラーニングの活動と、生活環境に由来する問題に苦労している脆弱な生徒の事例に、深い関心を寄せている。彼女は「6Csに集中的に取り組むと、社会的・情動的な困難に対して抵抗力をつけたり、それらを防いだりできるため、良好なメンタルヘルスとレジリエンスが築かれる。6Csへの集中的な取り組みは、困難な背景を持つ子どもたちに公平な機会を与える」（Connection through relationship: The key to mental health, 2017年6月13日）と注目すべき意見を述べている。

　クリントン（Clinton, 2013）は、脳の発達に強く関連する側面を指摘している。脳の発達は子どもが抱き上げられあやされる幼少期に始まるが、それによって安心と絆をメッセージとして受け取り、それが神経細胞を変化させて新しい神経経路を形成するため、子どもは後の人生でストレスに対処できるように

「6Csに集中的に取り組むと、社会的・情動的な困難に対して抵抗力をつけたり、それらを防いだりできるため、良好なメンタルヘルスとレジリエンスが築かれる。6Csへの集中的な取り組みは、困難な背景を持つ子どもたちに公平な機会を与える」（ジーン・クリントン医師）

第
2
章

なる。それによって関係を築く能力と、感情をコントロールし自己調整する能力が確立される。子どもが感情を適切にコントロールし表現できるようになるには、一緒に対処して、境界線の内側と外側にあるものを教えてくれる大人や仲間が必要である。こうしたメッセージが、何らかの理由で幼少期に与えられない場合、帰属意識を構築する教室を作ることがよりいっそう重要になる。クリントンが述べているように、学校は目に見えないひとつの大きな教室であり、そこでは教師や生徒などがウェルビーイングに影響を与えるメッセージをつねに送っている。その多くは帰属とつながりに関する非言語的なメッセージである。

　ディープラーニングに関係する脳の発達の2つめの側面は、人生を通じて成長し変化するその目覚ましい能力である。脳の可塑性、つまり新しい神経経路を形成する能力は、生後間もない時期から6歳までの間に活発に活動し、認知的、情動的なあらゆる種類の刺激に影響を受ける。次に爆発的に大きな変化が起こるのは思春期で、神経経路の刈り込みが効率性と生涯にわたる習慣を増大させる。

　教育者に重要な意味があるのは、社会的・情動的環境だけでなく、物事の選択や真正の学習による認知的刺激からも、脳の発達を方向づけることができるという点である。

> 　私の考えでは、6Csに集中的に取り組む教室では、教師と生徒の間、生徒同士、そして同じく重要なこととして生徒と学習空間の間に、非常に強い関係性と安心の感覚が形成されます。たとえば、コラボレーションのための空間と姿勢を作るには、教師はグループのなかでのさまざまな差異に対して共感と思いやりの手本を見せなければなりません。コミュニケーションへの取り組みでは、生徒や教師は相手の話に心から耳を傾け、「あなたの言葉を使って言って」ではなく「どういう意味なのか教えて」といった問いかけをする必要があります。……そうすることで、すべての子どものコンピテンシーと能力を信じ、すべての子どもが学習できると信じていることが伝わるのです。(Clinton, 2017, 私信)

　子どもが最もよく学ぶのは、認知的・情動的発達の両方で相互のつながりを肯定する環境であるから、言語、思考、情動に同時に取り組む必要がある。それは、こうしたつながりや刺激の恩恵を受けることなく就学する子どもたちのための公平性の実現に、いっそう大きな影響を与える。

公平性の仮説

　一部の生徒は学習への意欲を持たないまま毎日学校の門を通る。こうした望ましくない状況の原因は、世代間で連鎖する貧困のなかで暮らし、難民やホームレスになるのではと恐れながら、ネグレクトに怯えながら、あるいは刺激が欠如した状態で、生活していることにあると考えられる。公平性は何十年間も

政策立案者が重視してきたものであるが、アクセスの問題としてのみ対処され、「追いつく」ための補習授業や期待値の引き下げ、クラスを離れて個別指導を受ける取り出し授業など、生徒が仲間から孤立したり疎外されたりしかねない方法がとられることが多い。

　たとえば、幼稚園入園時、貧困家庭の子どもが知っていて使える単語は300語であるが、彼らより恵まれた家庭の子どもの場合は1,200語以上であることがわかっている。貧困家庭の子どもはコミュニケーションが限定的であるだけでなく、言葉によるお願いの内容を理解していない場合もある。「バックパック（backpack）を荷物部屋（cubbyhole）に入れてください」というお願いが無視されるのは、その子どもたちが、backpackが何なのか、cubbyholeがどういう意味なのか知らない場合もあるからなのだ。ここで重要なのが、教師の姿勢と考え方である。子どもたちに寄り添うのか、子どもたちを叱るのか？　この出来事をコミュニケーションを築く機会と捉えるのか、反抗的態度や無気力の表れとみるのか？　帰属、目的、希望を中心に関係を築く教師であれば、認知領域を活性化するために、6Csのレンズを通してそうした関係を利用することができる（第5章・第6章参照）。

　私たちのディープラーニングの活動では、授業についていけずに苦労している生徒は、先に読み書き計算の基本を習得するべきであるという「古い」考え方に代わって、重要な読み書き能力を学ぶのに有効な方法を提供すると同時に、基本的な読み書き計算能力を強化しつつ、生徒が真剣になる真正の課題に没入させる効果的なプログラムを用いている。私たちはこれを「公平性の仮説」と呼んでいる。ディープラーニングはすべての生徒に必要であるが、従来の学校教育では疎外されて十分な対応を受けられない生徒に対して、より大きな恩恵をもたらす可能性があることを示すエビデンスが出てきているからである。実のところ、不公平性には卓越性――この卓越性はディープラーニング（個人にも集団にも意味を持つ何かを掘り下げること）と定義される――を用いて対処する必要があることが、しっかりと立証されている。言うなれば「学習のレベルを下げずに上へ伸ばそう！」である。

　要するに、ディープラーニングは、それを利用して孤立している生徒を関与させることができれば、世代間で連鎖する厳しい貧困と人種主義の有害な影響を逆転させる原動力になると考えられる。ノゲラらによる報告によれば、マイノリティ出身の低所得家庭の生徒をディープラーニングに参加させた学校は、「同様の生徒を教えている似たような学校と比較して、学業成績が高く、出席率と生徒の行動が良く、中退率が低く、……大学進学率が高く、忍耐力がある」（Noguera et al., 2015, p. 8）。米国研究所が19校の高校を対象に実施した、

教師の実践と支援体制、生徒の成果に関する調査（American Institutes for Research, 2014）からも同様の結果が得られたことは、ディープラーニングを追求している学校の生徒のほうが健闘していることを示唆している。そうした学校の生徒のほうが高校を修了し、大学に進学し、学力テストで高い点数を取り、問題解決の評価で良い結果を出し、参加、意欲、自己効力感の測定で高い値を示す割合が高かった（Heller & Wolfe, 2015; Huberman et al., 2014; Zeiser et al., 2014）。こうした事例にみられる問題点は、これまでのところ成功事例の規模が非常に小さく、標準に対する例外であることだ。私たちがやろうとしているのは、ディープラーニングをシステム全体のひとつの特徴にすることである。

　偏見を禁止する政策は重要ではあるが、公平性と卓越性の仮説をもって取り組むには十分ではない。偏見を直接撲滅し、社会における多様性の価値を積極的に教えるだけでなく、すべての生徒が学習者として成功できるようにするための戦略がなければならない。不公平の低減そのものはウェルビーイングや成果を高めはしない。オンタリオ州のあるファースト・ネーションズ（先住民）の指導者が、「私たちの文化では、どの子も才能を持って生まれてくると考えられている。……そうした子どもたちの才能を見出し、育むために私たちの学校には何ができるだろうか？」（Ontario Ministry of Education, 2014aより引用）と述べている。ディープラーニングが重視しているのは、学習環境を整えるとともに、生徒の成功を可能にする6つのグローバル・コンピテンシーをすべての生徒に授けることである。ウェルビーイングに至る道筋にとって重要なのは、公平性と卓越性に取り組むディープラーニング経験であると私たちは考えており、次の章からは多数の事例を取り上げる。

重要なのは再文化化

　ディープラーニング経験は、NPDLのパートナーのなかで始まり、拡大している。ディープラーニングへの関心も、国や州、学区や学校の政策立案者や実践者の間で高まっている。そのなかで教育者から、「ディープラーニングが必要であることはわかるが、大規模に実施するにはどのようにすればよいのか？」という声が寄せられることが多くなってきた。問題は単に「ひとつの教室や学校でディープラーニングを引き起こすにはどのようにすればよいのか？」ということではない。イノベーティブな教師や学校であれば、ツイッターなどのソーシャルメディアサイトでも日常的に見かける。問題は、学校のすべての教室で、学区や地方自治体のすべての学校で、州や国全体で、ディープラーニングを引き起こすにはどのようにすればよいのか、ということである。システムに刃向かうのは個人でも可能だが、ひっくり返すには集団が必要である。

システムに刃向かうのは個人でも可能だが、ひっくり返すには集団が必要である。

　では、これまでとは違う成果を求めるのなら、教育はどこから手をつけるべきなのだろうか？　実のところこれは、卵が先か鶏が先かのジレンマと似ている。一部の改革支持者たちは、学校は時代遅れであるので、現在のシステムを解体し、生徒があらゆる制約から解放されて、自分で自分の学習をデザインできるようにしなければならない、と主張する。このシナリオが拠り所にしているのは、校舎も学区も内容も学科も測定もなくしさえすれば、生徒は自由に深く学習できるだろう、という改革の理論である。ますます多様化し、デジタルを活用できるようになってきた世界では、そうした学習は実際に可能ではあろうが、すべての生徒がその機会を利用するだろうとか、そうすれば組織的な不平等に対処できるだろうといったことを信じるに足る根拠はない。

　「システムを解体する」という主張の対極にあるのは、つねに修正して改善——その最新のものは学習スタンダードと測定尺度——を加えていくというものである。これが展開されている米国では、「コモン・コア・ステート・スタンダード（Common Core State Standards, CCSS）」（これ自体多数の問題を孕んでいる）が導入され、「すべての生徒が成功する法（Every Student Succeeds Act, ESSA）」が連邦議会で可決された。こうした取り組みにおける改革の理論は、学習成果と測定に関する新たな記述が、何らかの形で教師に新しいスキルをもたらし、生徒の可能性と参加を引き出すだろうというものである。これら2つの政策は潜在的変化に向かう一歩ではあるが、成長のためのメカニズムを提供するには至っていない。問題は、成果——“何が”成果なのか——を記述し測定することは、教師と指導者のスキルと知識を向上させて、新しい成果につながりうる新たな形態の学習を促すのに、ほとんど効果をもたらさないということである。現在のアプローチに欠けているのは、“どのように”改善するのかという確固たる戦略である。

　では、最初に何から始める必要があるのか？　まず構造や規則をすべて変えるのか、それとも現状に手を加えるのか？　構造改革に重点を置くのは、方向性を見誤り、時間を浪費させる結果になりかねない。校舎や教師の役割を排除して生徒主体の学習に置き換えることが、迅速かつ大規模に起こると考えるのも非現実的である。入学者数の減少によって閉校せざるをえなかった学校の校長なら誰でも、何か（古い校舎でさえも）取り去られると知ると、地域住民から感情的な抵抗やときには不合理な抵抗を受けることになると証言するだろう。校舎、大学入学者選抜、教員養成、カリキュラム、テクノロジー、時間、測定尺度などが変化すれば、いずれもディープラーニングの促進に寄与するだろうが、前進するための前提条件としてそれらが変化するのを待つのは無駄なことだ。システムが構造改革のみに努力を集中させるのなら、ディープラーニ

ング経験を育むための専門知は拡大しないだろう。反対に、現状の改良はシステムに部分的に対処することになるが、それが全体を考慮することはめったにない。その結果、改善は断片的なものになり、システム全体の変革につながることはないのである。

　「学習プロセス」を変革の中心に置くほうが、ずっと成果の上がるアプローチになる。学習プロセスに焦点化した集団的な取り組みによって、関係性が変化し、新しい教育実践が生まれ、ひいては構造の変革を引き起こす。学習プロセスへの焦点の移行が「文化の変革」になるのを認識することが重要である。文化の変革は生徒と教師と家族の関係性を変えるだけではなく、教師同士の関係性、教師と管理者の関係性をも根本的に変える。行うべき価値のあるいかなる改革にも、集中的なコラボレーションが必要である！　私たちはそれをこれまでの活動で目にしてきた。学区レベルで学習コミュニティが実現するにつれて、システム全体が変革するのである。有意味なコラボレーション経験をする前に専用の時間を設けることばかり考えている者は、スケジュールのなかにその時間帯を設けて終わりになってしまい、生徒の学習に影響を与えるのに必要な目的も信頼も関係性も重点もない状態で終わることが多かった。どんなに少ない時間でもそれを利用し、協働し合って学習を改善することに集中することから始めた学校や学区は、その利点を目にしたがゆえに、やるべきことに必要な条件を整えるために構造を利用したのである。

まとめ

　ここでの変革に関する教訓は、表面上や構造の変革ではなく、「学習文化」の変革が必要だということである。それは政策や指令によって可能になるものではない。変革が起こるのは、学習のための新しいプロセスを促す取り組みに従事した場合だけである。本章でこれまでに述べた学習成果やコンピテンシーに関して同意できるようであれば、協働して取り組むための豊かな機会を提供し、学習の新しい関係を形成し、そうした取り組みから教訓を引き出す必要がある。事前にどれだけ計画を立てても、作業をしながら一緒に学習するという共通の体験に勝るものはない。なぜなら、そうした体験は、能力と当事者性を同時に構築するからである。わかりやすく言うと、行動について考えるよりも実際に行動するほうが多くのことを学べるのだから、ディープラーニングを望むのなら、行動を起こす必要がある。

　そのため、変革のためのリーダーシップ——それもあらゆる方面からのリーダーシップ——が不可欠である。ここからは、再文化化と学習の変革を主導するための枠組みに目を向けることにしよう。

ここでの変革に関する教訓は、表面上や構造の変革ではなく、「学習文化」の変革が必要だということである。

Activate the Learning: Deep Learning in
Grade 3 – Canada
https://youtu.be/AqAmzwAyGB4
www.npdl.global

Bray Park State High School – Australia
https://youtu.be/zBgXr-leQG4
www.npdl.global

Deep Learning: School-Level Implementation
- Canada
https://youtu.be/TMbyKFbhQMQ
www.npdl.global

Innovative Learning at St. Louis School -
United States
https://youtu.be/M631xjgynOA
www.npdl.global

複雑さの手前にある平易さなど
どうなっても構わないが、
複雑さの向こう側にある平易さになら
人生を捧げても惜しくはない。

──オリバー・ウェンデル・ホームズ・ジュニア

第3章

変革を導く

システム全体を変革するための一貫性の形成

　こうしたディープラーニングの活動に邁進している私たちには、確実に言えることが3つある。第一に、ディープラーニングのエネルギーはすでに解放されている。ディープラーニングは存在しており、これからますます急速に顕在化するだろう。第二に、システム変革のための「リーダーシップ」はあらゆる方面から生じると考えられ、実のところ変革の主体としての生徒と教師から生まれる可能性がますます高まっている。第三に、リーダーシップが堅固な場合でも、変革の本質は曖昧さに満ちており、後退、明確化、ブレイクスルーの時期を伴う。未知の世界への旅路に備えなければならない。唯一の救いは、何もしなければ、これまでにない複雑さと速さで今まさに社会で生じつつある避けがたい変化の力の駒になってしまうので、それよりはよいということである。

　これまでよりも強力な、システム全体を変える深い変革理論が必要な時期に来ている。現れつつあるのは、成長とイノベーションに関わるシステム全体の文化を育む変革戦略であり、それは当事者のエコシステムに触媒として作用し、能力を構築し、一貫性のある行動を引き起こす。本章では、システム全体の一貫性のある変革を展開するための枠組みについて考察し、続いてシステム全体の変革をディープラーニングに適用する方法に焦点を合わせる。

　システム全体の急速かつ根本的な変革をどのように実現するのかという問題について、フランとクインによる近著『一貫性：学校、学区、システムのための適切な変革推進力（*Coherence: The Right Drivers in Action for Schools, Districts, and Systems*）』（Fullan & Quinn, 2016）で取り上げた。そのための枠組みを、私たちはシステムのあらゆるレベルの多数の教育者と協力して考案した。ここでも、実践と理論の相互作用から着想を得ている。政策立案者やリーダーにとって、コンプライアンス主導の指令、サイロ化、過剰な負担、断片化、頻繁な方針変更が組織に満ちている今日、それらに対抗する戦略として、一貫性の必要性は世界中で直感的な共感を呼んだ。一貫性がもたらすのは機動性に富んだ系統的な枠組みであり、それはリーダーがシステム全体の根本的変革のための方策を取り入れ、戦略化するのを促し、ディープラーニングを実現するための道筋を提示する。

私たちの言う一貫性とは、取り組みの本質に関する理解の共有の深さのことである。この定義には2つの重要な要素がある。第一に、一貫性とは完全に主観的なものであるため、リーダーによっても、また戦略的計画によってさえも説明することはできず、共通の経験によって構築されなければならない。第二に、一貫性は人々の思考のなかに存在するため、特定の集団間で、目的のある相互作用を通じて共通の課題に取り組み、何が有効なのかを特定して集約し、徐々に意味を確立することを通して醸成されなければならない。一貫性の構築が累加的で持続的であるのは、人々が来ては去り、内容が変化し、新しいアイデアが生まれるからである。一貫性をもたらす者は、誤った選択肢を排除し、日常の問題に取り組みながら突破口を開く協調行動を促すことに努める。一貫性には、1) システム全体──すべての学校または学区──の変革に重点を置く、2) 教育法または学習プロセスに焦点を絞る、3) すべての生徒に重要な影響をもたらす因果経路をつねに考慮する、という3つの重要な特徴がある。

> 私たちの言う一貫性とは、取り組みの本質に関する理解の共有の深さのことである。

本章の冒頭で、複雑な問題を乗り越えて平易さを探し求めることに触れた名言を取り上げた。私たちのバージョンでは、これを「シンプレキシティ（simplexity）」──ジェフ・クリューガー（Kluger, 2009）からの引用──と呼んでいる。この場合、問題は動的なシステムにおいて、より大きな一貫性を実現するにはどのようにすればよいか、ということになる。すべてのシステム（州や国）の実践者と協力して考案したものが、図表3.1に示す「一貫性フレームワーク」である。このフレームワークは4つの重要な要素から成り立っており、それらはディープラーニングの行程に適用することができる。4つの大きな要素だけで成り立っているというのが平易な部分であり、それらを相乗効果的な一式の要素としてひとつにまとめるというのが複雑な部分である。

この一貫性フレームワークは直線的なものではなく、4つの要素は連携して機能し、互いを糧とする。心臓の4つの部屋と同じようなものだと考えてもよいだろう。どれも生命維持に不可欠だが、それぞれに独自の役割がある。一貫性フレームワークでは、リーダーシップが体の必要な部分に血液を送り出す力として働く。したがって、リーダーは4つの要素を活性化し、連携させ、まとめる役割を担う。

方向性を焦点化する

一貫性フレームワークを構成する第一の要素「方向性を焦点化する」は、すべての子どものための学習という道徳的要請に関係する。経歴や生活環境に関係なく、すべての子どもを考慮することに重点を置く。方向性を焦点化することで、共通の意味と集団の目的を確立し、その目的を実現するための具体的な

図表3.1　一貫性フレームワーク

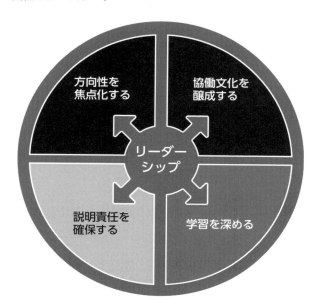

出典：Fullan, M., & Quinn, J.（2016）. *Coherence: The Right Drivers in Action for Schools, Districts, and Systems.* Thousand Oaks, CA: Corwin.

戦略を考案するプロセスと、人を動かすのに最も適した変革のためのリーダーシップが発動する。優先事項の競合や具体的な戦略の欠如が妨げとなって、混乱や惰性が生じたり、焦点化した方向性が脅かされたりする恐れがある。人は当初、戦略に確信を持てないこともあれば、スキルを欠いていたり、失敗を恐れたりすることもある。リーダーは学習者として参加し、進捗をもたらす方法を見つける後押しをしなければならない。つまり、方向性のあるビジョンを定める――共通の目的を設定し、当初の取り組みを誘導する戦略を策定する――のである。ビジョンの形成に時間をかけすぎて行動を伴わないのではいけない。方向性の焦点化は、ディープラーニングの行程を開始することだと考えてよいだろう。ディープラーニングの行程が始まると一連の取り組みが変化するが、それはビジョンに対して行動を――とりわけ協働して――起こすと、ビジョンを実践に移し始めることでビジョンが明確になるからである。リーダーは第二の要素を利用して、目的のある行動のために協働文化を構築する必要がある。

協働文化を醸成する

　第二の要素「協働文化を醸成する」は、方向性の焦点化と連動して作用し、変革のための能力とプロセスを発展させる公平な成長文化を育む。イノベーションには、グループが失敗から教訓を得ている限り、失敗を許容する環境が必

第3章

要である。協働は同僚性につながるだけではなく、専門知を醸成することにもなるので、誰もが集団の目的に集中できる。この協働的な専門知は、リーダーがグループを利用してグループを改革する際の強力な変革戦略になる。リーダーは具体的な問題と実践に関して、人々が他者から学び、他者と学び合う環境を培う。方向性の焦点化と協働文化は明確さと目的、深く掘り下げるための手段をもたらすが、2つの要素それぞれにおける行動がディープラーニングを指向していない場合には、表層的なものになりかねない。有能なリーダーは集団で組織を前進させようとするため、他者と一緒に学習者として参加する。

学習を深める

第三の要素「学習を深める」では、効果的な学校やシステムはつねに学習と教授のプロセスに焦点を合わせていることがわかる。そうした学校やシステムは3つの重要な側面に注意を払っている。ひとつ目は学習目標の明確化であり、それによって教育者や家族、生徒が育みたいと考える学習や学習者について、共通の理解を深められるようにすることである。基本的な読み書き能力の習得を重視する場合もあれば、デジタル世界で加速しているディープラーニングのテーマに取り組んでいる場合もある。重要な2つ目の側面は、教育実践における的確性の確立である。的確性は、教育者が協働で探究するコミュニティを形成して、協働に関わる専門知を確立するにつれて向上する。教育者は新しい学習能力を特定して、新しい教育法と実践における的確性を確立する。3つ目は学校とシステムによる条件とプロセスの形成であり、目的は教師とリーダーが新しい実践を活用して、有効性の低いアプローチから高いアプローチに移行するための能力を構築できるようにすることである。これら3つの側面は、焦点が格差の解消であれ、基本的な読み書き能力の向上であれ、ディープラーニングのテーマの追求であれ、教師とリーダーに欠かせない専門性の高い重要な分野である。

説明責任を確保する

一貫性フレームワークを構成する第四の要素「説明責任を確保する」は、内部の説明責任——進捗状況を徹底的に測定する能力——を構築することで、外部への説明責任に対応することができることを示している。この要素が実現するのは、集団が実績に対して自己の責任と集団での責任を負い、外部への説明責任制度に関与する場合である。内部の説明責任を支える条件には、具体的な目標、実践と成果の透明性、行動の的確性（precision）——指示（prescription）と混同してはならない——、公平な判断をしようとする態度、影響評価へのコ

ミットメント、結果を改善するためのエビデンスに基づく行動、外部への説明責任制度への関与がある。方向性を焦点化し、協働文化を醸成し、学習の深化に傾注することで、一貫性フレームワークの最初の3つの要素に取り組むと、内部の説明責任のための条件が確立されて、その組織は外部への説明責任制度に対応することができる。

　この一貫性というテーマに取り組み始めることで、学校や学区、そしてシステム全体も、学習を深める方法についてもっとよく知りたいと考えるようになる。一貫性フレームワークは、システム全体の変革というレンズを通してイノベーションを考えるための包括的な枠組みを提供する。一貫性とディープラーニングに関する取り組みは同時に発展してきたため、一貫性フレームワークはディープラーニングを育み推し進めるための包括的なシステムアプローチの詳細を示すまでに進化している。システム全体としてディープラーニングに移行した州や国はまだないが、可能性についてはある程度の兆しがみえている。

　次のセクションでは、こうした「ディープラーニング」の要素をどのように拡張することによって、学習を深めるためのプロセスを加速させ増幅させる一連のツールとプロセスを備えた枠組みへと変えてきたのかを詳しく検討する。また、「ディープラーニングのための新しい教育法（New Pedagogies for Deep Learning, NPDL）」のパートナーシップが、一貫性の要素すべてを用いて、世界中でディープラーニングを促すための社会運動を創出していることを明らかにする。

ディープラーニングを一貫性のあるものに

　従来型の学校教育という現状を大きく変革することは、それがシステムのあらゆるレベルを巻き込むだけでなく、環境が不安定でつねに変化することからも、容易な問題ではない。変革は持続的なプロセスでなければならず、マクロレベル（システム全体または社会全体）とミクロレベル（個人および地域）で起こらなければならない。ミクロレベルでの変革とは、学習の成果を再定義し、新しいリーダーシップを引き起こし、新しい環境とパートナーシップを創出し、ディープラーニングをデザイン・評価する新たな能力とともに、成長を測定し報告する新しい手段を開発することである。こうした複雑さを考えたとき、従来型の学校教育——選別と選抜による学校教育——から、すべての若者が成功しグローバル・コンピテンシーを身につけるための支援に重点を置く学校教育に移行するには、どうすればよいのだろうか？

　NPDLのグローバルパートナーシップは、学習を深める実践とシステム全体

第3章

の深い変革を促す条件についての知識を確立することで、断片的なイノベーションから広く浸透する変革への移行という課題に取り組んでいる。このパートナーシップにメンバーが参加しているのは、ディープラーニングの開発に関心を持っており、同じ行程を進む他者から学び、また他者とともに学びたいと考えているからである。NPDLのグローバルパートナーシップは正規の学校システムによるものであり、学区と学区内の学校の文化を変革して、すべての子どもたちのためにもっと学習を深めようとしている。学習とシステム全体の変革について持っている最善の知識を取り入れ、それを利用してすべての学校と教室で学習を変革するためのプロセスを作り出す。これまでの4年間、私たちはシステム、学校、教室でのディープラーニングに向かう運動を促進または阻害する要因を熱心に研究してきた。生徒から政策立案者に至るあらゆる人々と情報や意見を交換することで、私たちは変革について多くのことを学び、そうしなければ想像できなかったであろう実践の転換を引き起こしている。

私たちの目的は、単にディープラーニングについて説明し、その拡大を提案することではなく、成功につながる実践と原則を明らかにすることである。そうすれば、ディープラーニングがどのように機能するのか、なぜ有効なのかに関するそうしたヒントや共通のテーマから、すべての人のために、学習を変革して将来の実践に寄与するために何が必要となるのか情報を得ることができる。私たちはそれらをディープラーニング・フレームワークのなかで示している。

ディープラーニング・フレームワーク

こうした従来型の学校教育からディープラーニングへの大規模な移行には、行動を制限することなくその指針となることができ、包括的だが重すぎないモデルが必要である。私たちはパートナーと協力して、多数の学校、学区、システムがディープラーニングの文化の醸成に打ち込むのを促す社会運動を創出し、可能にするよう取り組みを始めた。

変革がすべて適切とは限らないため、行動を引き起こすだけでは一面的である。パートナーのなかに、ニュージーランドの学校改革の専門家、ビビアン・ロビンソンがいる。ビビアンがすばらしいのは、彼女が、変革ということについて、具体性を欠く主張を受け入れようとせず、明確なデザインと説明にこだわるからである。彼女の最新の著書『変革を減らして改善を増やす（*Reduce Change to Increase Improvement*）』（Robinson, 2017）も例外ではない。彼女は次のように述べている。

図表3.2　ディープラーニング・フレームワーク

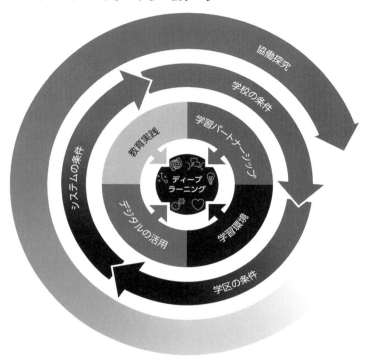

> 変革と改善を区別することにより、意図した改善をリーダーの変革案がどのように もたらすのかについて、詳細な論理を考案して伝達するというリーダーの 責任を高めるのである。(Robinson, 2017, p. 3)

　そこで私たちは、意図した成果を変革案がどのようにもたらすのかを計画的 に明示し、あらゆるレベルで変革を引き起こす能力を確保するための構造とプ ロセスを提供し、学習者への影響に関して変革による改善を明確にするため に、「ディープラーニング・フレームワーク」を開発した。その行動理論、す なわちNPDLの因果経路を示したのが図表3.2である。私たちの望む成果が、 すべての生徒がディープラーナーになることであるのなら、「どのようにすれば すべての人がディープラーニングを達成できるのか」を問わなければならない。

　逆向きに考えると重要な要素が3つみえてくる。第一に、学習目標とディー プラーナーになるとはどういうことなのかについて、明らかにする必要があ る。第二に、教師、リーダー、生徒、家族による思考と実践の転換を容易にす る学習プロセスを明確に定義できる場合にのみ、すべての教室でディープラー ニングが促されることになる。第三に、すべての人に対してイノベーション、

そこで私たちは、意図 した成果を変革案がど のようにもたらすのか を計画的に明示し、あ らゆるレベルで変革を 引き起こす能力を確保 するための構造とプロ セスを提供し、学習者 への影響に関して変革 による改善を明確にす るために、「ディープ ラーニング・フレーム ワーク」を開発した。

第3章

成長、学習文化のための条件を整えた場合にのみ、学校全体およびシステム全体でディープラーニングが起こるだろうということである。

　ディープラーニング・フレームワークは、条件の異なる学校、学区、システムに合わせて調整できる一揃いのツールとプロセスによって、ディープラーニングの急速な普及を支え、実践の具体的な転換方法を提供する。図表3.2はディープラーニング・フレームワークの4つの層を、ディープラーニングを支えるサークルとして描写している。できるだけわかりやすく、成果から逆向きに考えると次のようになる。

> **第1層**：6Csとして定義されるディープラーニングが、意図した成果である。

> **第2層**：**学習デザインの4要素**（教育実践、学習パートナーシップ、学習環境、デジタルの活用）は、意図した成果を得るための教育経験の構築に焦点化している。

> **第3層**：**ディープラーニングの条件**に関するルーブリックが、ディープラーニングを促すために学校、学区、システムを支える。

> **第4層**：ディープラーニングにはあらゆるレベルで継続的な学習が必要なので、**協働探究**がすべての取り組みを取り囲む。

第1層：ディープラーニングのための6つのグローバル・コンピテンシー

　ディープラーニング・フレームワークを中心で支える第一のサークルは、ディープラーニングであり、これは6つのグローバル・コンピテンシー、すなわち、キャラクター、シティズンシップ、クリエイティビティ、クリティカルシンキング、コラボレーション、コミュニケーションによって表される。私たちはディープラーニングをこれらの「6つのグローバル・コンピテンシーを獲得するプロセス」と定義している。これらのコンピテンシーは、複雑化する思考と問題解決、協働するためのスキルの高度化、自己認識、共感してグローバル市民としての行動を取る能力と人格の根底にある責任感を表す。教師や生徒、家族が共通の言語と期待を確立しようとするのなら、この層における学習成果を明確にすることが必要である。進捗状況を測るために、私たちはコンピテンシーごとに特性とスキルを適切に組み合わせたツールを考案し、それを「ラーニング・プログレッション」と名づけた。

第2層：ディープラーニング・デザインの4要素

　ディープラーニング・フレームワークの第2層は、学習デザインプロセスを

支える。4要素からなる第2層は、「教育実践、学習パートナーシップ、学習環境、デジタルの活用の一体化」に意図性と的確性をもたらすことで、よりよい学習デザインを促す。成長を促し、成功の最大化に不可欠なスキルと理解の足場を作る複雑さと深さが、学習経験に確実に組み込まれるように、教師と生徒はこれらの4要素に注意を払っている。さらに、これらの要素は、教師、生徒、家族の間に新しい関係を構築し、デジタルを活用して学習を促進・拡大する際の意図性につながる。具体的なツールには、「教師自己評価診断（Teacher Self-Assessment Diagnostic）」「学習デザインルーブリック（Learning Design Rubric）」「学習デザインプロトコル（Learning Design Protocol）」などがあり、教師がこの新しい教育法の各要素が浸透した学習経験を作るのを支える。

第3層：ディープラーニングを促す条件

　ディープラーニングは少数のイノベーティブな教師や校長、学校のみに委ねるべきではないので、ディープラーニングを支える3つめのサークル、すなわち第3層は、ディープラーニングが学校やシステム全体に急拡大するのを促す条件を表している。この一連の条件は、学校、学区またはクラスター、州という3つのレベルでシステム全体に関わってくる。問題は、6Csとディープラーニング・デザインの4要素の発展を促すのに、どの政策や戦略、行動が最適なのか、ということである。率直に言って、これは複雑な問題であり、私たちはこうしたプッシュ要因とプル要因による変革の展開を説明し、支持する最善の方法の定義と考案に奮闘してきた。現在も的確な定式化に取り組んでいるところである。これまでのところ、3つのレベル（学校、学区またはクラスター、州）のそれぞれに必要となる5つの中核的条件を導き出すことができている。その5つとは、**ビジョン、リーダーシップ、協働文化、学習の深化、新たな尺度／評価**である。これらが結果的に一貫性フレームワークの4要素（リーダーシップを中心とした、方向性の焦点化、協働文化の醸成、学習の深化、説明責任の確保）と類似している点に注意する必要がある。5つの条件のためのルーブリックを利用して、強み、改善分野、改善のための指針、進捗状況の評価を明確にすることができる。

第4層：協働探究プロセス

　最後に、一番外側のサークルが示すのは協働探究プロセスであり、ディープラーニングの土台を築くとともに、すべての層の相互作用効果を促す。一番外側のサークルとして描かれているが、これは最終的なステップではなく、各サークルに浸透して、展開の各段階で有効な対話を生み出す。協働探究プロセス

ディープラーニングは少数のイノベーティブな教師や校長、学校のみに委ねるべきではない。

第3章

は、教師がディープラーニング経験をデザインするためや、チームが生徒の取り組みと成長を安定させるために、また、教師やリーダーが学校レベルやシステムレベルでディープラーニングを促すのに必要な条件を評価するために使うこともできる。

まとめ

　重要なのは、ディープラーニングを支える各サークルを順番通りにこなしていくことではなく、各パーツと、それらが交差し互いに依存しながら強め合うこと——ディープラーニングを支えるサークルの相乗効果——を理解することである。このモデルは機能的であり、このように細分化することで、全体は部分の総和よりも大きくなる。外側の協働のサークルが重要なのは、それが取り組みのプロセスから学習することを推進するからである。実践の協働的検討は、相乗的な行動を促す新たな知識とアイデアを生み出すことで、波及力と相互扶助が持つ力を解放する。次の問題は、生徒と教師と家族が一緒に学習を変革できる有効なマインドセットを引き出すために、共通の目的と協働による専門知を確立することである。

　第Ⅱ部では、NPDLに参加する学校、学区、クラスター、システムの経験を取り上げて、ディープラーニング・フレームワークの各層をさらに深く掘り下げる。そのために、学習プロセスを変容させるためのシステム全体の運動につながっている実践と要素を紹介する。NPDLのフレームワークを利用して、みなさん自身のエントリーポイントを見つけていただきたい。第Ⅱ部の6つの章で取り上げるのは、ディープラーニング・フレームワークの実践であり、ディープラーニングの説明（第4章）、ディープラーニングのデザイン（第5章・第6章）、コラボレーション（協働）によるディープラーニングの実現（第7章）、システム全体の変革としてのNPDL（第8章）、ディープラーニングを評価するための新たな尺度（第9章）である。

第Ⅱ部
生きた実験室

「誰かがそれに対処すべきだ」
と口にした後、
私は自分がその誰かなのだと悟った。

――リリー・トムリン

第4章

ディープラーニングの実践

変革の原動力としてのディープラーニング

ディープラーニングのモデルの要は6つのグローバル・コンピテンシー（6Cs）、すなわち「キャラクター」「シティズンシップ」「コラボレーション」「コミュニケーション」「クリエイティビティ」「クリティカルシンキング」である（図表4.1）。

図表4.1　ディープラーニングのコンピテンシー

出典：Copyright © 2014 by New Pedagogies for Deep Learning™（NPDL）

これらのコンピテンシーは適切なものなのか？　他にはないのか？　2年後、5年後、10年後も変わらないのか？　そうした疑問に組織や教育者が我先にと答えを出そうとするので、将来のためのスキルのリストが世界中でどんどん増えている。図表4.2が示すのは、将来の労働力に必要とされる可能性のあるスキルのリストであり、アポロ研究所（Apollo Institute）、世界経済フォーラム（World Economic Forum）（Institute for the Future for University of Phoenix Research Institute, 2011）、「ディープラーニングのための新しい教育

図表4.2　仕事の未来

アポロ研究所 2020	世界経済フォーラム 2015	世界経済フォーラム 2020	NPDL
1. センスメイキング	1. 複雑な問題解決能力	1. 複雑な問題解決能力	1. キャラクター
2. 社会的知能	2. 他者との協調	2. クリティカルシンキング	2. シティズンシップ
3. 斬新で適応性のある思考	3. 人材マネジメント能力	3. クリエイティビティ	3. コミュニケーション
4. 異文化理解力	4. クリティカルシンキング	4. 人材マネジメント能力	4. コラボレーション
5. 計算論的思考	5. 交渉力	5. 他者との協調	5. クリティカルシンキング
6. ニューメディアリテラシー	6. 品質管理能力	6. 情動的知能	6. クリエイティビティ
7. 学際性	7. サービス志向性	7. 判断力と意思決定能力	
8. デザイン思考	8. 判断力と意思決定能力	8. サービス志向性	
9. 認知的負荷の管理	9. 積極的傾聴	9. 交渉力	
10. バーチャルコラボレーション	10. クリエイティビティ	10. 認知の柔軟性	

出典：Grey, A.（2016）. *The 10 Skills You Need to Thrive in the Fourth Industrial Revolution*. World Economic Forum. Retrieved from https://www.weforum.org/agenda/2016/01/the-10-skills-you-needto-thrive-in-the-fourth-industrial-revolution.

法（New Pedagogies for Deep Learning, NPDL）」などの最近の報告書から抜粋したものである。

　これらのリストを私たちの6つのコンピテンシーと比較すると、共通性や一致点とともにトレンドが浮かび上がる。わずかな差は今後も生じるだろう。世界経済フォーラムの論文では、これまでにない能力が必要となる新しいテクノロジーや製品、働き方がひっきりなしに登場するため、クリエイティビティが3つの最重要スキルのひとつになるだろうと示唆している。また、将来的には交渉力と認知の柔軟性の順位が上がると予想しており、情動的知能の登場に注目している。

　クリエイティビティは、その重要性が高まることで、他のコンピテンシーの発展を促す触媒になっていくと考えられる。同時に、複雑な世界でさらに一般的になってきた多様な問題や視点に対応しようと誰もが奮闘しているため、キャラクターとシティズンシップの要素としての思いやりと共感が、ますます重要になってきている。コンピテンシーの完全な組み合わせに関して、決定的な答えはわかっていないが、注目すべきは、学習者が生きるために学び、明敏さを備え、進化する世界と調和し、世界が必要とする人間になるのを可能にする6つの幅のあるコンピテンシーである。最も重要なことは、変化するニーズに基づき積極的に適応しながら、それらのコンピテンシーの実現に重点的に取り組むことである。

　こうした新しいディープラーニングのコンピテンシーは、わかりにくい概念でもあるため、世界の教室をいくつか覗いて、6Csの成長を促すこうした学習に、実のところどのような違いがあるのかを見てみよう。

　フィンランドでは、キルコヤルビ小学校の教師であるターヤ・コールマンが、この新しい学習へのアプローチを次のように語っている。

クリエイティビティは、その重要性が高まることで、他のコンピテンシーの発展を促す触媒になっていくと考えられる。

第4章

気候変動に取り組むフィンランドの小学生

ターヤ・コールマン（フィンランド・エスポーの小学校教師）

　フィンランドで、私たちは可能な限り最高の学習環境を提供したいと考えています。私たちの校舎は美しい現代建築ですが、今年新たに導入されたナショナルカリキュラムと、NPDLでの取り組みを受けて、私たちの学校は何が重要かに着目した学習コミュニティになりつつあります。教師は協働し、生徒のための学習経験はかつての教育法とは大きく異なっています。生徒たちは現在、気候変動に関する難しい問題に取り組んでいます。生徒たちは活気づいていますが、それは初めのうちはほとんど知らないことばかりで、問題を評価して解決策を見つけだすために情報を集めなければならないからです。私たちは彼らに、専門家に連絡を取ったり、他の生徒や家族と話し合ったりすることで、これまでとは違う方法で深く掘り下げるよう促しています。生徒は自分たちで考えた解決策を実行に移し、結果をみて、活動を振り返ることになり、こうした学習方法が生徒の想像力を刺激していくと私たちは考えています。生徒はコラボレーションのためのプラットフォームを利用して、連絡を取り合い進捗状況を把握するので、私は生徒の挑戦と成功を目の当たりにしています。このようにして学ぶことで、生徒はグローバル市民、情報の批判的消費者、発信者、協働者としての自らの役割について考えるよう後押しされ、創造的で深い学習が実現します。生徒が構築しているキャラクターの特性は、生徒が社会に出て、学びを生活の不可分の一部とするのを可能にしてくれるでしょう。

　教師と生徒が学習を変革するために、どのようにパートナーシップを利用し、デジタルを活用しているのかについては、NPDLのウェブサイト（www.npdl.global）のビデオ4.1「気候変動に取り組むフィンランドの小学生（Finnish Students Tackle Climate Change）」を見ると、詳しく知ることができる。

　遠く離れたウルグアイでは、すべての生徒がグローバル社会の一員となれるようにデバイスを提供するプログラムが、7年前に開始された。**ウルグアイ**が注目に値するのは、貧しい国が、現地と世界の問題に関する教授と学習の改善につながる低価格の適応型テクノロジーとソフトウェアを導入することで、大規模な移行を迅速に進めているからである。ほどなくしてリーダーたちは、デジタルデバイスの可能性を発揮させるには、教育法を深化させていくことが必要であることを実感し、ウルグアイはNPDLパートナーシップに参加することになった。教室を覗いて、教育法とデジタルが組み合わさったときに何が可能になるのかを見てみよう。モンテビデオの小学生である11歳のソレダドとク

第4章

ラウディアが、新しい学習方法を研究して、この世界の現実の問題に影響を与える冒険にクラスメイトを引き込んだ話を紹介してくれる。

ロボット工学によって学習を解放する

小学校の生徒（ウルグアイ・モンテビデオ）

　ソレダドとクラウディアは身の周りの世界を探究したいと考えていましたが、毎日代わり映えのしない教室に閉じ込められていると感じていました。2人の少女は真面目に授業に取り組んでいましたが、どの日も2人の目は、教室の片隅に積まれている箱に惹きつけられていました。2人は担任教師に、箱とキットを調べさせてほしいと何度もお願いしましたが、触らせてもらえませんでした。ある日、担任教師が、今、新しい教授法について学んでいて、教室で新しいやり方を試すつもりだと2人に話しました。彼女は他の学校や都市、さらには外国の教師ともやりとりをしていました。2人はもう一度、キットを調べたいとお願いし、今度はイエスの返事をもらいました！　2時間もしないうちに、2人は箱の中身とキットを分類して整理し、YouTubeでいくつも動画を見て、ロボットを組み立ててプログラミングをする方法を学びました。第1号のロボットを目にした瞬間、クラスメイトたちも探究に加わりたがりました。

　生徒たちが次に自らに課した課題は、環境に優しい技術とロボット工学を結びつけて、人間のために問題を解決できるロボットを作ることでした。ある生徒グループは戦争について学んでいるところであったため、地雷を探知できるロボットを製作しました。ほどなくして生徒たちは、もっと身近な問題を解決することを考え始めました。昨年、モンテビデオの浜辺で、10歳の少年を含む5人が落雷で死亡したことを思い出しました。そこで、雷について調べ、落雷の可能性があるときに人々に知らせる警報装置を作成しました。グループがロボットで地域社会や世界に影響を与える他の方法を考え始めるにつれて、興奮が広がっていきました。低年齢の子どもたちも勇んで参加しましたが、手助けが必要だったため、保護者も関わるようになりました。関心は非常に高く、ソレダドとクラウディアは、他の生徒をサポートできる生徒からなるチームを作りました。担任教師は生徒との新しい関係を「私たちはパートナーです」と表現しています。生徒たちは新しい学習プロセスを理解して、「プロジェクトやトピックを提案し、教師は生徒が改善する手伝いをします」。すぐに生徒がもっとチャレンジしたいと考えるようになったため、担任教師はNPDLとの活動で学んでいたラーニング・プログレッションとルーブリックを紹介しました。今では生徒たちは、学習で選択ができて、学習を改善して進捗状況を評価するためのツールを利用できるので、そこが一番いいところなのだと言っています。生徒たちはこの世界のために創造し、頭を使い、世界を守り、世界を変えられるようになりました。

この教室でのディープラーニングの行程についての詳細はNPDLのウェブサイト（www.npdl.global）のビデオ4.2「グローバルな学習ネットワーク：ロボット工学を用いたディープラーニング（Global Learning Network: Deep Learning with Robotics）」から参照できる。

　次は**カナダ・オンタリオ州**の高等学校の教室に入ってみよう。ここでは、「地理学：世界の問題」を学ぶ12年生が、社会変革のマネジメントに政府、集団、個人が与える影響を分析することに参加している。

国連の持続可能性目標を実現させる

12年生（カナダ・オンタリオ州）

　12年生に与えられた課題は、国連の持続可能性目標について他者を啓発し、人々にローカルにもグローバルにも行動を起こすよう促すことであった。生徒たちは関心に基づいてチームを作り、世界自然保護基金や「地球の友（Friends of Earth）」などの環境保護団体のほか、「ミー・トゥー・ウィー（ME to WE）」や地元のフードバンク「フィード・ザ・チルドレン（Feed the Children）」といった社会福祉機関と連絡を取り、連携し、協力した。生徒たちは成功基準と学習目標を共同で設定し、家族や地域社会に進捗状況を定期的にツイッターで報告し、ブログを開設して対象とする訪問者に情報を伝え、協力の拡大を促した。実際の行動への影響としては、地元小学校での「Because I Am a Girl」というイベントの組織、献血運動の調整、貧困に関するドキュメンタリーの制作と地域社会の意識向上イベントである「@poverty2power」の推進、若者の就学支援を目的としたシャツの製作・販売、家具を製作して収益を「地球の友」に寄付、持続可能な消費に関する取り組みの支援などがあった。そうした学習の結果、生徒たちは「独創的に考えられるようになり、……思い切って挑戦できるようになり」「このうえなく大きな夢を見ています」と話している。担当の教師は「最も得るところが大きかったのは、生徒たちが自信を持って、選んだ目標に情熱を注ぎ、……学びたい、伝えたい、世界を変えたいという意欲を持つようになる様を目にしたことです」と述べている。

　要するに、6Csがさまざまな方法で追求されているということだけでなく、共通点があることもみてとれる。こうしたビデオを見たり、エピソードを読んだりすると、保護者や生徒や教育者はしばしば次の点に気づく。

● 生徒が活気づき、互いや人の役に立つことに真剣に取り組んでいる。

● 生徒、教師、家族、地域社会の間で学習のための新しい結びつきが生まれている。

● 複雑なコラボレーション、クリエイティビティ、問題解決能力が育まれている。

● 「学校」が他の空間、時間、専門家との交流を含むまでに拡大している。

● こうした現実の問題に取り組むのに必要なクリティカルシンキングが発達している。

　これらの特徴が生じたのは、適切な問題基盤型モデルや探究モデルのおかげと言えるだろう。ディープラーニングでは、こうした教授モデルや他の多数の有効なモデルがよく利用されるが、「探究型学習（inquiry-based learning, IBL）」や「問題基盤型学習（problem-based learning, PBL）」はディープラーニングの同義語ではない。3つの事例はいずれも生徒による個人学習と協働学習を伴っている。したがって、ディープラーニングとは生徒がより複合的な思考を用いて、創造性を引き出し、ますます複雑化している問題を解決するようになるプロセスである。生徒はコラボレーションをしてもしなくても、難解な課題には探究モデルを利用することができる。一方で、意図的にコラボレーションを引き出したい場合もあり、そうなると、有意味なグループ学習の課題のための機会が別に必要となり、その際、問題基盤型で協同的なグループ学習などのモデルが有用になる。ディープラーニングとは、ある特定の教授モデルのことを指すのではなく、多様な学習実践によって促されるものなのである。ある学校リーダーが次のように述べている。

> それは6Csで囲まれたひとつの大きなサークルのようなものです。サークルの内側にあるのは、子どもの成功に役立つ教育法ですが、私たちは自分で選ぶことができます。我が校は我が校に適したデザイン思考を積極的に取り入れていますが、別の学校が探究モデルや問題基盤型モデルを利用していても、それも有効なのです。ありがたいことに、私たちは生徒や地域社会にふさわしいアプローチを選択することができます。選択肢はいくつもありますが、それによって適切なデータと知識に基づき賢明な選択をするという責任が生じます。（2017年7月, 私信）

　特徴的なのは、用いられる教授モデルに関係なく、この種の学習は6つのグローバル・コンピテンシー（6Cs）——すなわち「キャラクター」「シティズンシップ」「コラボレーション」「コミュニケーション」「クリエイティビティ」「クリティカルシンキング」——の獲得を加速することができるということである。

第4章

新しい発見

　最も胸躍る発見のひとつは、新たなエネルギーと情熱と解放を語る生徒、教師、リーダーの限りない楽観主義である。それが生じる理由のひとつは、この種の学習がもたらす声（発言権）と選択の拡大であるという仮説を立てることができる。学習がより実生活に根ざすものになるにつれて、新しい行動がみられるようになっている。教師がディープラーニングの成果を定義すること、新しい有効な教育法から自分の教育法を選択すること、生徒に選択と声（発言権）を与えて生徒と一緒にデザインすること、学習経験と教育実践が生徒のディープラーニングに与える効果を測定すること、デジタルを、多数のアイデア、専門家、協働者、可能性とのつながりを促す学習のユビキタスな要素とみなすこと、こうしたことによって、これまでよりもずっと大きな意図性と的確性がもたらされることになる。この実践の意図性は、新たな役割、新たな関係性、新たな学習パートナーシップにつながる。こうしたことはいずれも、イノベーションを促し、個人の関心と才能を評価し、学習を明日への準備ではなく今日の生活にするために実生活に確実に結びつける環境のなかで起こっている。ここでは、明らかになったことのいくつかを取り上げる。

人類を助ける

　生徒は世界をよりよくするために変化をもたらし貢献することに熱意を持っている。浜辺への落雷を予測する警報システムを構築しているウルグアイの生徒であれ、地元でも世界でも国連の持続可能性目標を実現させようと取り組んでいる高校生であれ、生徒が行動を起こしている姿が見られる。この20年間、コミュニケーション、コラボレーション、クリエイティビティ、クリティカルシンキングという「21世紀型スキル」が議論の中心を占めていたが、キャラクターとシティズンシップが大きく一歩前進しているのがわかる。ケン・ロビンソン（Robinson, 2015）が非常に手厳しくはっきりと論じているように、これまでのところ、クリエイティビティが学校で際立って重要視されたことはない。

　全体としてみると、こうしたディープラーナーたちはグローバル市民として考え、多様な価値観と世界観への深い理解に基づき世界的な問題を考慮し、人と環境の持続可能性に影響を与える曖昧で複雑な現実世界の問題への心からの関心と、それらを解決する能力を備えている。同時に、実生活の問題に取り組み、やり抜く力、粘り強さ、忍耐力、共感、思いやり、レジリエンスといった個人的特性を育み、学習を生活の不可分の一部とする能力を磨いている。ウルグアイの10歳の少女による「人類を助けるためには、まず隣人から始めようと決めました」という言葉が胸に響く。また、実際に多数の生徒が「市民になる

最も胸躍る発見のひとつは、新たなエネルギーと情熱と解放を語る生徒、教師、リーダーの限りない楽観主義である。

ウルグアイの10歳の少女による「人を助けるためには、まず隣人を助けようと決めました」という言葉が胸に響く。

のに10年も待ちたくありません。今日、明日の市民になりたいのです。世界が私を必要としているんです！」と話している。こうしたことはどれも未来にとってよい兆候になっている。つまり、生徒にも人類にもプラスになるのである。

変革の主体としての生徒

これまで生徒たちのなかに眠っていた潜在的な可能性が、ディープラーニングを通じて得られた声と選択によって、組織、社会、教育法の大規模な変革に影響を与えていることがみてとれる。

組　織

カナダの**オタワ**にあるグラシャン中等学校で、生徒のリーダーシップについて大胆な決断が下されたとき、驚くべき成果が現れた。

これまで生徒たちのなかに眠っていた潜在的な可能性が、ディープラーニングを通じて得られた声と選択によって、組織、社会、教育法の大規模な変革に影響を与えていることがみてとれる。

生徒の声が学習を主導する

中等学校の生徒（カナダ・オタワ）

この学校でのディープラーニングの行程は、ディープラーニング・デザインチームへの参加を生徒に促すことから始まった。参加した第7学年と第8学年の生徒がリーダーシップを担い、学校全体でディーパーラーニングを確立するために、共通の理解の構築と一連の目標の設定を手伝った。最近訪問したとき、生徒がディープラーニングへの移行に不可欠な存在になっていることが明らかにみてとれた。この生徒チームの参加者25人に話を聞いたとき、彼らは6Csがどのように学習の選択に寄与しているのか、いつでも社会に出られる人として成長させてくれているのかを、具体的に例を示しながら説明することができた。2017年5月のスウェーデンへの学習旅行は、その参加者が（第1章のコラムでみたとおり）12人のみであったが、学校文化に6Csが浸透している一例と言える。どのような基準で選抜するのかという困難な決断に直面した彼らは、生徒に対して、なぜ自分が対象者に選ばれるべきなのか証明するものを、6Csに基づき作成するという課題を考案した。その結果は、6Csに基づいて成し遂げたことをすべて詰め込んだスーツケースから、自分がどのように6Csを活用しているかを詳説するポスターボードやスクラップブックまで、さまざまであった。

グラシャン中等学校でのディープラーニングへの移行に教師が不可欠な役割を担っているのは言うまでもないが、生徒のリーダーシップについてのクリエイティビティと才能の解放が影響を増幅させたのは明らかである。

社　会

　生徒が地域社会やグローバル社会に貢献するにつれて、彼らは学習においてだけでなく、世界を変革することにおいても、自分たちの居場所を再考するようになる。彼らは「なぜなのか」「なぜそうではないのか」と問うことで、従来の学校教育の構造に立ち向かう。彼らが有意味で適切な課題に関与するとき、限界はほとんど目に入っていないのだ。

政治家と出会う会

12年生（オーストラリア・ビクトリア州）

　ベンディゴ・シニア・セカンダリー・カレッジの生徒は、「政治家と出会う会」という名称で、地元の選挙立候補者と地域住民が参加する選挙前フォーラムを準備した。応用学習クラスの第12学年の生徒たちは、初めて投票する2016年の連邦選挙を前に不安を感じ、地域、国、グローバル規模の問題に戸惑っていた。彼らは、自分たちの学校の生徒が地元の候補者と会い、さまざまな問題を質問することによって、連邦選挙で投票する際に、十分に情報を得たうえで選択をすることができるようなイベントを計画した。生徒は市長に自分たちの組織委員会に参加してくれるよう依頼した。また、多様なコミュニティグループと会って、各候補者の政策情報を集め、初めて投票する人を対象に福袋を作り、イベント「政治家と出会う会」を実現した。生徒は何か重要なことの中心にいると感じて、自分たちの学校に向けられた話や問題、議論に耳を傾けていた。生徒はメディアが自分たちの考えに関心を持っていることを知ったのである！　気づかぬうちに生徒のシティズンシップとスキルが育まれた。生徒たちは大きなイベントの開催に関わっただけだと考えていたが、彼らはこの経験を通して、さまざまなアイデア、専門用語、反対意見、困難な問題に触れていた。

　地域社会の関与は期待を大きく上回るものであった。地元の複数の私立学校からイベントに参加させてほしいと頼まれたり、保護者からＱ＆Ａパネルで尋ねたい質問が送られてきたりした。地元のメディアはイベントに参加して、政治プロセスへの生徒の参加を好意的に報道した（New Pedagogies for Deep Learning, 2016）。

　生徒たちは地域社会の意識に影響を与え、行動を引き起こす際に役割を担えることを知った。

教育法

　この重要な真正の学習にひとたび関与すれば、生徒はワークシートや教科書に進んで戻ろうとしなくなる。彼らは現状に固執しないため、変革を受け入れる準備ができている。生徒は教師にとって予期せぬ変革の「プッシュ」要因である。教師は生徒が変わる様子を目の当たりにすることにより、自分ももっと思い切って挑戦しようという意欲を持つ。学習に関するこの新しい関係性は、教師だけでは予測できなかったであろう方法で、教師と生徒が学習を進める後押しをしている。**ニューブランズウィック**のベスボロウ・スクールの教師と生徒に対するCBCラジオのインタビューに、それが示されている。

スウェットエクイティ：植物園

6年生（カナダ・ニューブランズウィック）

　学校前の送迎スペースが「スウェットエクイティ」として、20種類の非遺伝子組み換え果物・野菜を有機栽培する植物科学のための庭と、受粉媒介者のミツバチに優しい3つの庭に姿を変えました。どれも6年生が研究と設計を実施しました。教師たちは数か月前からNPDLのパートナーシップに参加しており、地元や地域社会やグローバル規模の問題について生徒たちに考えさせたいと思いました。教師たちがミツバチについて思いを巡らせたのは、食物の3分の1をミツバチが受粉した植物から得ているためです。実行可能なアイデアが紹介されるやいなや、生徒たちから非常に多くのアイデアが飛び出し、休憩時間も取り組みたがりました。それから生徒たちは実際に調査を行い、取り組みを発表するための媒体を選びました。媒体には次のようなものが含まれていました。マインクラフトでミツバチの巣ツアーを作成する、独創的なストーリーテリングアプリのトゥーンタスティック3Dで物語を作る、ミツバチホテルなどの3Dモデルを制作する、アプリで動くボール型ロボットのスフィロをプログラミングで操作してミツバチの世界を再現するなどです。生徒たちは、ミツバチについての展示を行い、研究結果を保護者に紹介しました。教師たちは、以前は長期的に欠席していた生徒が今では毎日登校している例をいくつも挙げました。登校するようになった理由を尋ねると、彼らはミツバチプロジェクトがあるからだと答えました。普段は登校しているものの、あまり意欲的ではなかった他の生徒たちも、今では積極的に参加していますが、それは自分で選択ができるからであり、また関心を高めるような物事に参加したいと思ったからでもありました。「教師としての私の役割は変わりました——生徒たちにはアイデアがあったので、私は助言を受けることを勧め、ヒントを与えましたが、それは協働的な取り組みでした」。コラボレーションは拡大して、上の学年も下

の学年も参加し、世界の著名な養蜂家の専門技術を活用しました。ある生徒はこう述べています。「こんなにすごいことができるんだと驚きました。……ミツバチを救うことができると言われたとき、私は救いたいと言ったんです！」。

　生徒たちは研究結果をどのように共有して行動を起こせばいいのか調べるうちに、デジタル世界からさまざまな新しい教育法を引き出した。そうしたコラボレーションによって、学校がどのようなものなのか、生徒の学習を後押しするために何が起こるのかについて、新しい考え方が広がっていった。

公平性の仮説

　これまでの章で、ディープラーニングはどの生徒にも必要だが、従来の学校教育で教育の恩恵を十分に得られなかった生徒には、なおさら必要であろう、という公平性の仮説を提唱した。提示できる例は多数あるが、ここでは2つの事例のみを取り上げる。第一の事例は生徒が自分自身の生活に関連する分野でディープラーニングを追求すると、学校成績が向上するだけでなく、自分の居場所と声を得ることを実証している。

生徒は自分の声を得る

サム（カナダ・オンタリオ州の高校生）

　貧困家庭出身の生徒にとって、ディープラーニングは人生を変えるような経験になりうるが、それは、彼らが自分の人生の舵を取り、他者の生活を改善する力を感じるようになるからである。それが当てはまるのが、次のファースト・ネーションズの生徒の例である。

　サムはオンタリオ州ティミンズの高校でつらい毎日を送っていた。一緒に暮らしていた祖母の元を離れ、生まれ育った先住民のコミュニティと文化を出て、何百マイルも離れた市にある学校に通っていたが、そこでは多くの人々がファースト・ネーションズの若者は挫折すると考えていた。見ず知らずの家族の家に下宿した彼は、なぜ同じ村出身の生徒の非常に多くの者が、学業を諦めて中退するのかがわかり始めていた。ある教師が、サムのクラスの生徒たちを、オンタリオ州政府主催の「研究者としての生徒 (Students as Researchers)」というプログラムに参加させることにした。サムは学業成績の点ではクラスメイトに後れを取っていたが、そのプログラムでは調べたり改善したりしてみたい分野を選

んでチームで取り組むことができるため、プログラムに参加したいと考えた。サムが同じ先住民コミュニティ出身の数人の生徒に声をかけると、すぐにグループができた。彼らのリサーチクエスチョンは、「高校への移行時に先住民の若者はどのような経験をするのか？」だった。アンケート調査とインタビューの質問を考案し、高校への移行を乗り切って卒業した生徒や、中退した生徒、先住民コミュニティの年長者、学校の生徒と教職員、進学のために市に来た先住民の生徒を受け入れて部屋と食事を提供する家族からエビデンスを集めた。プログラム終了までに彼のグループは報告書を完成させ、孤立から人種差別、絶望感や挫折感まで、非常に多くの課題と障壁が明らかになった。

　さらに、彼らは何をする必要があるのかを理解していた。サムと彼のグループは作成した報告書を利用して変化を加速させたいと考え、同じコミュニティ出身の若者がこれまでとは異なる経験ができるように熱心に動き始めた。学校やコミュニティの一部の年長者の協力を得て、彼らは学校に「先住民の若者のための諮問委員会（Aboriginal Youth Advisory Committee）」を設置した。この委員会のおかげで、先住民の若者は声を与えられ、学校で必要な変化を引き起こすことができた。先住民のメンター、ピアチュータリング、先住民と先住民以外の生徒が先住民の文化的行事と歴史を祝う活動、受け入れ家庭の経験とコミュニティとのつながりを改善するための措置などがそうである。ひとつの科目におけるひとつのプロジェクトとして始まったものが、先住民の生徒のための複数年に及ぶ移行・行動計画となって、学校全体での理解の変化を引き起こした。サムは読み書き能力が不十分で、カウンセラーに職業トラックの科目を取るよう助言された内気な若者から、自信に満ちた若者に変わり、楽しみながら読書と研究に取り組み、先住民友好センター（Native Friendship Centre）で青少年カウンセラーを務め、今は大学の教員養成課程をめざしている（Fullan & Gallagher, 2017）。

　第二の事例は、通常は低いレベルのクラスに割り当てられる生徒が、個人的に興味のあることを追求する機会を得たときに何が起こるかを示している。

学習を関連性のあるものに：情熱を解き放つ

ゲイブ（カナダ・オンタリオ州の高校生）

　ゲイブは高校生で、普段は職業トラックのために実施されるクラスに参加していた。しかし最近、運動科学の進学トラック用の科目に参加した。それはスポーツが大好きで運動科学の教師と関わりが深く、その教師にその科目を取るよう勧められたからである。ゲイブの担任教師は全

校的なディープラーニングによる探究活動に参加することで、学習課題の多くをデザインし直して、何を学ぶのか、学習内容の理解をどのように示して見せるのかについて、生徒がこれまでよりも多くの選択ができるようにした。ゲイブの担任教師はまた、できるだけ頻繁に、生徒が学習したことを現実世界の状況に応用するようにしていた。そういうわけで、学習に困難を抱えていたゲイブが、そのカリキュラムを受けることができたのである。ディープラーニングの課題の一例として、生徒たちは、トップ選手の栄養必要量を調べて、選手が激しい試合に備え、また試合後に回復するのに役立つ100%天然成分の栄養サプリメントを作ることにした。クラスでのマーケティングフォーラムの間、生徒たちは招待した業界の専門家に向けて自分の栄養食品のプロモーションを行い、コメントを返してもらった。元プロホッケー選手やスポーツジム・クロスフィットのオーナー、ボストン・マラソンを終えたばかりのマラソン選手やトップ水泳選手のパーソナルトレーナーなど、地域の業界関係者が栄養食品を試食して、生徒たちに学習について質問した。このディープラーニングの課題を通じて、学習に没頭したことは、ゲイブ自身にとっても、また教師にとっても驚きであった。ゲイブは重要な栄養素とカロリーに関する学習を応用し、それを自分のバスケットボール熱に結びつけることができた。質問されたとき、ゲイブは、このテーマについて深く学習することができたのは、自分が熱中しているものについて学習するよう言われたからだと説明した。学習したことを創造的な方法で示すように言われたため、栄養食品のデザインを行ったのだが、それを通じて意欲と自信が高まるのを感じたと振り返っている。ゲイブは、テストを受けなさいと言われていたら、それほど関心は湧かなかっただろうし、学習の深さを示すこともできなかっただろうと語った。彼はまた、自分の活動を誇りに思い、これまではできなかった方法でクラスメイトと一緒に学習したいとも話している。

　ディープラーニングはすべての人を包摂する。ディープラーニングは学習上の困難があると他者から思われたり、生徒本人がそう考えたりしている場合でも、自信と忍耐力を浸透させ、すべての生徒に成功する機会を与える。私たちが言いたいのは、公平性が短期間に実現できるということではなく、公平性に向かう動きをシステムの中心的目標とすべきであるということである。そして、公平性と卓越性は、生徒の健康上・安全上のニーズに取り組む政策と戦略に結びついたとき、大きな効力を発揮することができる。

　このグローバル・コンピテンシーという新しい領域での影響を測定するのは難しいが、フィンランドの同僚であるパシ・サールベルグの研究に希望がみえる（Rubin, 2016）。彼は"ビッグ"データと"スモール"データを区別して、「ビ

第4章

ッグデータ」を、従来のアプリケーションで処理できない複雑で広範な指標に関する情報の大量のデータセットで構成されるものと説明している。そうしたデータは幅が広いものの、優れた教授とはどのようなものなのか、それがよりよい学習にどのように結びつくのかについて、政策決定者に深い理解をもたらさない。サールベルグはマーティン・リンドストロームの研究（Lindstrom, 2016）と彼が言う「スモールデータ」のほうが有望であることを指摘している。「スモールデータ」とは大きな傾向を明らかにする小さな手がかりのことを言う。こうした小さな手がかりはしばしば学校という大きな構造の一部に織り込まれているため、従来の学校教育で苦労していた生徒がディープラーニングの環境で成功しているエピソードや事例といった形態で、私たちはスモールデータを収集している。

　生徒が困難にもかかわらず成功を見出すというストーリーなら誰でも示すことができる。しかし、本書では一部の特異な成功例を取り上げているのではない。この種の学習による変容は、ディープラーニングに取り組む学校のどこでもみられるのである。上述したとおり、私たちはスモールデータという概念を用いて、全体としてみると枝状に広がる有望なエピソードを収集している。ディープラーニングによって、孤立していた生徒がより多く参加するようになっている。そうした生徒たちが参加しやすくなるのは、学習が生徒一人ひとりを対象にしているからである。ディープラーニングは一定数以上の生徒や、組織の至る所で当たり前のことになっている。こうして参加が深まり、成長が加速するのは、学習成果の明確性の向上、6つのコンピテンシーの重視、育まれたディープラーニング経験の結果である。この公平性の仮説は政策とシステム全体の変革に大きな影響をもたらしうる。それはマインドセットが、欠如をとらえて問題のある生徒に補習を行うというものから、成長をとらえて可能性を解放するというものへと転換するためである。

ディープラーニングを活性化させる

　根本的な変革——社会運動——とは、人々に行動を起こさせる思想のことであり、これは誇張ではない。どれだけ宣伝しても、説教しても、唱道しても、人々はそう簡単にやり方を変えない。私たちにわかっているのは、考え方、感じ方、世界との関わり方を変えている生徒の例を目にすることが、何よりも強力な影響を与えるということである。自分の教え子の変化をみることの次に良い方法は、ディープラーニングの真正の実践が記録されたビデオや映画を見ることである。本書では変革に関する多数の事例のほか、ビデオへのリンクも掲載しているが、それはそうした経験を生き生きと伝えるためである。あなたの

学校や学区で、あなたや他の人々がディープラーニングの導入を検討できそうだと思えるならば、導入に向けた以下の3つの提案をご覧いただきたい。

1.　有効な対話を促進する

　生徒、教師、リーダー、保護者がこうした新しい概念や思想を理解するには時間を要するので、生徒のために何が必要なのかについて、深い議論をする機会が必要である。似た役割の人々でグループを組織して、思想と理解の共有に向けて弾みをつけたいと考えるかもしれない。そうしたグループを構成するのが、学校の変革を考え始めた校長であれ、将来に思いを巡らせている教職員全員であれ、教育者・家族・地域住民の集まりであれ、事例ビデオを利用するのは、深い対話を通じて多様な見方を引き出す有効な方法である。対話を系統立てて進めるための手引きを組織化ツールとして用いることで、グループが共通点と相違点を前向きに探り出し、学習者のために何が必要なのかについて、共通のビジョンをまとめるのが容易になるだろう。重要な論点や6Csを用いるための手引きを組織化ツールとして使うと、すべての声が聴かれ、関係性が深まり、共通の理解と視点が生じることになる。仲間に刺激を与えるビデオを共有して、グローバルなデジタル世界で生徒のために何が可能なのかを検討するとよい。本書で取り上げたビデオや、エデュトピア（Edutopia）やエクスペディショナリー・ラーニング（Expeditionary Learning）（EL Education）、YouTubeなどのサイトで見つかるイノベーティブな学級の事例などを利用してもよいだろう。そうして見たビデオや学習のタイプのどんなところにワクワクしたのか話し合ううちに、ディープラーニングやその実践についての定義が共有され始める。ビデオで見た学校や学区がこの種の学習者を育んできた方法をグループに特定してもらうことで、コンピテンシーと新しい学習方法と自らの状況を結びつけてもらおう。教師やリーダーに、自分たちの学級や学校で学習を深めるためにできることをひとつだけ考えてもらい、それに対して行動を起こすよう促す。具体的な期日を決めて成果を報告し合う機会を必ず設けよう。

2.　ディープラーニングの文化を育成する

　ディープラーニングを根付かせ盛んにするつもりなら、すべての人が自分自身を学習者とみなさなければならない。リーダーは実りの多い対話のための機会を設け、人々が新しいことに思い切って挑戦できると感じる環境を整えることで、前途を拓くことができる。必要なのは、参加を促し、創造的で多様な思考を引き出し、他者からの学習と他者との学習が習慣となっているような文化である。リーダーが自ら学習者となることでモデルを示し、関係性と学習文化

をモニターし、成長の進捗状況を測定して成功を賞賛するときに、リーダーは学習文化を形成できる。世界各地で教師のリーダーシップが伸びている。教師たちは意味のあるやり方で本当に大切なことを教える自由を感じていることを、「だからこそ教職に就いたのです」や「かつては、探究をやると6年生のカリキュラムをカバーできないだろうと考えていましたが、今では本当に探究のおかげでカリキュラムのカバーが外せます」と説明する。

　ここで、教師がどのようにして生徒のためにこれと類似した学習文化を醸成しているのかを示す2つの事例を紹介する。第一の事例では、教室の内外での生活に影響を与える6Csについて、生徒が深い理解を確立できるよう、ある教師が助力している様子がわかる。

　カナダ・トロントの多様性に富んだある教室に、「みんなが幸せになるまで、私たちは幸せではない」という題がつけられた掲示板がある。掲示板のあちこちには6Csそれぞれの名称が書かれている。年度が始まったとき、生徒はクラスメイトが今年度実現しそうなことについて付箋に「I WONDER（私は…ではないかと思います）」と書き、それをコンピテンシーの隣に貼った。たとえば、「ジェイソンは芸術家になるのではないかと思います。なぜなら、彼は学校で一番絵が上手だからです」（最近のプロジェクトで、ジェイソンがオリジナルのアクション漫画を描いたことをナレーターが説明している）。その年度の間、生徒たちは1日の終わりに時間を取って、6Csを示すエビデンスを振り返り、そうした成果を伝える付箋を掲示板に追加する。その結果、掲示板は成長を示す生きたエビデンスとなっている。

　これが戦略として有効なのは、2つの出来事が起こっているからである。ひとつはコンピテンシーがどのようなものなのかについて、生徒が理解を共有していることである（たとえば、コラボレーションが、単純なチームワークから、今課題に各自が適用しているスキルの深い認識へと移行していることを、生徒たちは明確に説明していた）。もうひとつは生徒主体の振り返りと深い認識の文化が生まれていることである。この文化は、生徒たちがエビデンスとなる点を探し、自己を調整し、成長したところを見つけて賞賛するというマインドセットを育むスキルを磨くにつれて共有されるようになっていた。

　別の教室では、教師がラーニング・プログレッションの生徒版を導入した。まず、生徒はそのプログレッションを用いて自己評価を行い、ディープラーニングの次の課題に向けて個人目標を設定する。生徒は徐々に、フィードバックを与えたり受け取ったりするスキルを磨き、そうした話し合いを進める際に、また成長を示すエビデンス集めの手段として、生徒版のプログレッションを利

用する。教師によっては、一度にひとつのコンピテンシーのみを導入すること
もあれば、2つ以上導入することもある。コラボレーションとコミュニケーシ
ョンの2つのCに焦点を合わせることにより、生徒がフィードバックを与える
能力を磨くにつれてどのような成長が可能になるのか、詳細はNPDLのウェブ
サイト（www.npdl.global）のビデオ4.3「ライティング・カンファレンス：ピ
アフィードバック（Writing Conference: Peer Feedback）」を参照されたい。

　私たちにわかるのは、学習文化の生きた一部として6Csに関する集団的な理
解が生じているということである。生徒は仲間や世界との関わりにおいて、よ
り道徳的で、より大きな共感を持って行動し始める。しかし、これは満足感に
つながるだけではない。教師がプログレッションを拠りどころとして用いて学
習をデザイン・共同デザインする方法にも、生徒の側が自らを成長させつつ他
者の成長をみる方法にも、深い意図が現れ始めるのである。

3. 大きく考える──小さく始める

　ディープラーニングの行程はまさに旅である。ひとつの経路はない。リーダ
ーとしてディープラーニングへの移行に影響を与えたいのなら、この移行を具
体化し、変化をモニターし、結果を測定する必要がある。

　リーダーは移行を具体化するために、ディープラーニングを価値のある目的
とみなして個人的に理解を深め、6Csに対して集団的な理解を確立する方法を
考案し、ディープラーニングの手本となるビデオを選ぶ。参加者に対して、ビ
デオの生徒がどのように6Csを磨いているのか観察してエビデンスを示すよう
求める。こうしたコンピテンシーの獲得を促すと考えられる学習プロセスにつ
いて話し合う。教師に今後2週間で教える予定の既存の授業または単元につい
て、それらを教えながら意図的にコンピテンシーのひとつを利用するよう促
す。歴史の単元を教える場合、どのような質問をすれば、生徒のクリティカル
シンキングをより高度なものにできるのかを考える。作文の授業であれば、ピ
アフィードバックの利用方法を考えて、その課題に対する生徒のコラボレーシ
ョンスキルの強化を意識する。

　教師や他のリーダーは、何が重要であるのかをモニターし、ミーティングや
専門職学習セッションで、また見学を通じて先行事例を共有するとよい。文化
や生徒の成果への影響を測定し、成長を賞賛する。こうしたプロセスの過程
で、何が有効なのか、何を継続させてさらに発展させるべきなのかを明らかに
する。このようにして、イノベーションと継続的な改善が文化に組み込まれる
のである。

第4章

まとめ

　私たちが提唱しているのは、ディープラーニングを少数の生徒や学校のための周辺的な実践から、すべての人のための学習の基盤に変えること——イノベーションの希望の光から、世界中の学習者とともに促進する刺激的な学習と成果へと変えること——である。大きな課題は、思考と実践においてそうした移行を引き起こすことである。そのためには、イノベーションの拡散だけではなく、最大の希望と期待がすべての人にとって現実のものとなるように、可能性の解放——変革——も必要である。私たちはそれを新しい社会運動とみなしている。ディープラーニングに参加している教師やリーダー、家族や生徒の興奮と献身から生まれているからだ。

　コンピテンシーについて明確さと理解の共有を確立することは、ディープラーニングに向かう第一歩である。図表4.2で本書の6Csと他のリストを比較した際、私たちはキー・コンピテンシーとして6項目を挙げたが、他の3つのリストはいずれも10項目を挙げている。どれも覚えきれない数ではないが、シンプレキシティに必要なのは、成功に不可欠で重複しない最小限の中核要素である。中核要素のリストは包括的で覚えやすいものでなければならない。コンピテンシーが明確であることは当然であるが、ディープラーニングの経験作りが非常に重要である。そのためには、核となるコンピテンシーに的を絞った枠組みが必要である。第5章と第6章では、ディープラーニングのデザインの4要素について取り上げる。

私たちが提唱しているのは、ディープラーニングを少数の生徒や学校のための周辺的な実践から、すべての人のための学習の基盤に変えることである。

第4章

Finnish Students Tackle Climate Change
(Video 4.1)
https://youtu.be/Fsw2fcNAFmw
www.npdl.global

Global Learning Network: Deep Learning
with Robotics – Uruguay (Video 4.2)
https://youtu.be/AiT0OWq98Qo
www.npdl.global

Writing Conference: Peer Feedback –
Canada (Video 4.3)
https://youtu.be/vOUdJuQ-jcE
www.npdl.global

Learning Partnerships at the OCSB – Canada
https://youtu.be/CmAXeiboCxA
www.npdl.global

私たちは一般論で考えるが、
細部に生きている。

――アルフレッド・ノース・ホワイトヘッド

第5章

ディープラーニングのデザイン：
学習パートナーシップ

新しい教育法

　学習プロセスの根本的な転換が必要なのは明白な事実である。教育者、家族、政策立案者、社会全体が、現在と将来において成功するための新しい能力が生徒に必要であることを認めている。そうしたコンピテンシーの成長あるいは獲得が、「ディープラーニング」の定義である。学習変革の必要性について意見の一致は進んでいるものの、問題はこうしたコンピテンシーをどのようにして育むのか、それもすべての生徒に対して、複雑なシステムのなかでどのようにして育むのかということである。そのためには、本章で詳述するように、これまでよりも包括的な学習デザインとそれに対応する新たな生徒・家族・教師・学校リーダーの役割が必要である。

　生徒・家族・教育者の間に明確さと共通言語を確立することで、すべての生徒の成功を可能にするコンピテンシーを育成するための関与と行動を促すことができる。学習成果——グローバル・コンピテンシー——に関して同意が得られたなら、「これらのコンピテンシーの獲得を促す学習環境と学習経験をデザインするには、どのようにすればよいか？」、そして「多数の教師と生徒をこの新しい学習プロセスに参加させるにはどうすればよいか？」といった問いが求められてくる。4要素からなる私たちの解決策——学習デザインのための要素——を図表5.1に示す。

　第4章でみたように、学習目標を確立するプロセスは、生徒の強みに明確に焦点を合わせることから始まり、カリキュラム内容を検討するためのレンズとして6つのグローバル・コンピテンシー（6Cs）を必要とし、それらを利用する。些細な事実や断片化した活動ではなく、今考え出されている大きなアイデアと概念に重点を置いたものである。教師が触発されてディープラーニング経験を考案し、新しい教育法を採用する場合でも、複雑な学習の多様な側面を考慮するのに役立つ組織化ツール（オーガナイザー）を利用することで恩恵を得ることができる。実のところ、新しい教育法の4つの要素は結びついていて、相互に強め合う。図表5.1では4つを分けて示しているが、それは各要素それぞれを考察し、相互関係を明確化し、学習デザインの意図性を高める必要性を強調するためである。

図表5.1　学習デザインの4要素

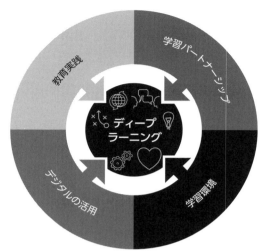

出典：Copyright © 2014 by New Pedagogies for Deep Learning™（NPDL）

新しい教育法は何が新しいのか

1. 新しい教育法は既存の知識を伝達するだけではなく、現実世界における新しい知識の創出と活用に重点を置いている。

2. 新しい教育法は、生徒と教師の間に新しい学習パートナーシップを意図的に構築する。それはそうした学習プロセスが、知識の相互の発見・創出・活用の中心となるからである。

3. 新しい教育法は通常の教室の壁を越えて、教室内外の時間・空間・人を、新しい知識を確立して強固な学習文化を醸成するための触媒として利用することにより、学習環境を拡大する。

4. 新しい教育法はデジタルを単なる付加的な教材として、またはそれ自体を目的として利用するのではなく、学習を加速・深化させるためにユビキタスに活用する。

　新しい教育法は、内容の習得、教師中心のデザイン、情報の伝達、固定的なテクノロジーの導入がより重視される従来の授業法とは正反対のものである。本章ではまず学習パートナーシップを取り上げ、続く第6章で学習環境とデジタルの活用、教育実践を取り上げる。今回、教育実践を最後に残したのは、その他の3つの要素が、学習デザイン全体において相対的に重要で大きな割合を占めることを理解しやすくするためである。

学習パートナーシップ

　新しい学習パートナーシップが、生徒、教師、家族、外部の世界の間に劇的に現れ始めている。声（発言権）、コントロール、関係性におけるこうした転換は、ディープラーニング独自の特徴である。学習において教師が生徒とパートナーになっていく。教師は、この新しい関係性を説明する際、胸を高鳴らせる。この種の学習が生徒に与える影響は生徒自身の言葉──「教壇にいる先生よりも仲間からのほうが学びやすい」「町の外の人とつながるのは、視野を広げられるのでいいと思う」「この取り組みを誇りに思っていて、フィードバックが欲しいので、発表しようと考えている」──にもみてとれる。

　図表5.2で示すように、学習パートナーシップは新しい教育法をデザインするための4つの重要な要素のひとつである。

図表5.2　学習パートナーシップ

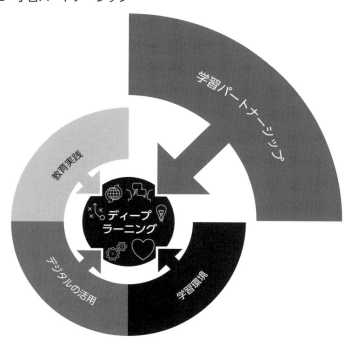

出典：Copyright © 2014 by New Pedagogies for Deep Learning™（NPDL）

　こうした新しいパートナーシップは、学習者を地域的、全国的、世界的に真正の機会と結びつけることで、学習を再構築する大きな可能性を有している。学習はより関連性の高い真正のものになるにつれて、教室の壁を越え、これまでよりも有機的に生徒のニーズと関心に基づくものになる。こうした新たな関

係性の重視は、学習を加速させるが、偶然に起こるものではない。学習プロセスにおける生徒・教師・家族・地域社会の新しい役割と、こうした新しい学習上のつながりを意図的に育む方法が必要である。

生徒が果たす新しい役割

　生徒が果たす新しい役割は、生徒が声と主体性を発揮して、内面の発達と外部の世界とのつながりを両立させるという考えに収まらない。共同設計者および共同学習者として生徒の関与が深化するのを、私たちは目にしてきた。生徒との有意味な学習パートナーシップを加速させることができるのは、教師が図表5.3に示す生徒の学習モデルの3要素を足掛かりにして、人生のために学び、実際の生活として学習を経験する準備のできた能動的で参加意欲のある学習者として、生徒を育成する場合である。

> 共同設計者および共同学習者として生徒の関与が深化するのを、私たちは目にしてきた。

図表5.3　生徒の学習モデル

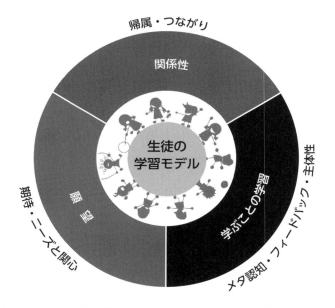

出典：Adapted from Fullan, M., & Quinn, J. (2016). *Coherence: The Right Drivers in Action for Schools, Districts, and Systems*（p. 94）. Thousand Oaks, CA: Corwin.

学ぶことの学習

　学習を最大化させようとするなら、生徒は自分の学習に責任を持ち、学習プロセスを理解する必要がある。そのためには、生徒は「メタ認知」のスキルと、「フィードバック」をやりとりするスキル、「主体性」を発揮するためのスキルを磨くことが求められる。

第5章

- 学ぶことの学習には、生徒が自分の学習についてメタ認知を確立し、学習プロセスを習得することが必要である。生徒は自分の学習目標と成功基準を明確にし、自分の学習をモニターし、取り組みを批判的に検討し、仲間や教師などからのフィードバックを取り入れて学習プロセスにおける自らの役割への認識を深めるようになる。

- フィードバックはパフォーマンスの改善に不可欠である。生徒による学習プロセスの習得が進むにつれて、教師の役割は学習課題の明確な構築からフィードバックの提供、次の学習課題の活性化、学習環境の継続的な開発へと徐々に移行する。

- 学習課題の共同開発と結果の評価において、生徒はより積極的な役割を担うようになるため、生徒の主体性と自律性が現れるようになる。生徒は単に参加するだけではなく、現実の意思決定に関わり、意欲的に一緒に学ぶ。

関係性

2つめの要素である関係性は、元来社会的で、その目的や意味、他者とのつながりを切望するすべての人間に欠かすことのできない土台である（Ryan & Deci, 2017; Tough, 2016）。特に思いやりとつながりが重要である。

- ケアのある環境は、生徒の成功を後押しし、すべての人の基本的ニーズを満たすことで、尊重され帰属していると生徒が感じられるようにする。こうした帰属意識は、生徒が身近な場所で、また世界的に人の役に立とうとするにつれて、強力な動機づけとして現れ始める。

- 有意味な関係性によってつながりを持つことは、真正の学習に不可欠である。生徒が対人的なつながりと自己内の洞察を広げるにつれて、集団でも個人でもこれまでよりも複雑な課題にうまく移行することができる。協働関係のマネジメントとセルフモニタリングは生涯においても必要なスキルである。

願 望

生徒の学習結果は、生徒自身の期待と、他者が生徒に対して持っていると生徒自身が考えている認識から著しい影響を受けることがある（Quaglia & Corso, 2014; Robinson, 2015, 2017; Ryan & Deci, 2017; Tough, 2016）。

- 期待はハッティ（Hattie, 2012）の研究に記されているように、成功の決定要因である。生徒が実現できると信じていることと、他者がそう信じていると生徒が感じていることが必要である。成功基準を共同で決定し、成長の測定に参加しなければならない。家族、生徒、教師はともに意図的な手段で——ときには現在の期待と理想とする期待について、またどうすれば実現できるのかについて議論するだけで——これまでよりも高い期待を醸成することができる。

第5章

● ニーズと関心は動機づけと参加を促す強力なアクセルである。生徒が本来持っ
ている好奇心と関心を刺激する教師は、それらを踏切板として利用することに
より、適切かつ真正で、概念と問題を徹底的に検討する課題に生徒を深く関与
させることができる。

　学習を生徒の願望と結びつけ、有効なフィードバックを提供し、生徒の好奇
心と関心を基礎とすることで、より強力な共同学習パートナーシップが築かれ
る。これは教師が生徒一人ひとりについてより深く知り、またそうすることに
よって生徒の進捗状況を分析し、どの教授・学習戦略が個々の生徒の学習を最
も活性化しているのかを理解するのに役立つ。学習パートナー——教師と生徒
——は構造と自立性の間に適切なバランスを見出す必要があり、そのバランス
は学習状況に応じて異なるものになろう。

　こうしたよりつながりの深い能動的な学習への転換は、生徒が自分の学習と
相互の学習に対して、教室内外でこれまでよりも大きな責任を担うことで進ん
でいく。その様子を、ある教師はこう述べている。「私たちは子どもたちの能
力が実際に変容して、深い探究を本当に引き起こせるような自分自身の問いを
考え出すのを目にしてきました。そうした問いを書き表し、発展させてきたこ
とで、子どもたちはそれらに対して個人的に深く共感するようになっていま
す」（Lisa Cuthbertson-Novak, 2016, 私信）。

　こうした生徒の主体性は、ローカルにもグローバルにもより有意味な学習を
創出する可能性があり、生徒の積極的な役割は生徒の関与を拡大させる。意思
決定におけるこの新しいバランスが欠かせないのは、生徒が膨大な量の情報と
デジタルでつながっており、学習において受動的ではなく能動的な役割を担い
たいと考えているからである。学校リーダーのサイモン・トレンバスは「私た
ちの生徒は今では自分を学習における真の積極的参加者とみなしています。彼
らは教師と協働して、学習行程の目的地をどこにするのか、学習をどのように
共有するのか、誰と共有するのかを決定しています」（Simon Trembath, 2016,
私信）と述べている。

　こうした新しいパートナーシップについては、NPDLのウェブサイト（www.
npdl.global）のビデオ5.1「学習パートナー：コラボレーション（Learning
Partners: Collaboration）」で見ることができる。制作したのはNPDLに参加し
ている**ニュージーランド**のクラスターで、6Csが生徒と教師の関係、生徒同士
の関係に与える影響と、協働実践の効果を説明している。

第5章

学習パートナー：コラボレーション

カフクラ・クラスター（ニュージーランド・クライストチャーチ）

　取り組み当初は教師も生徒もコラボレーションの進捗状況が最低水準でしたが、完全にひっくり返しました。毎日の授業に生徒の言い回しや表現を取り入れることで、生徒は現在の段階だけでなく、次の段階に進むために取るべき道筋についても理解することができました。子どもたちはコラボレーションについて学んでいることを吸収し、それを活用して、輪になって活動する時間、話し合いの時間、作文を書いたり読んだりする時間など、学習のすべての場面で協働しています。作業の水準が上昇しており、考えが深まっているのがわかります。生徒は自分たちが取り組んでいることと周囲の人たちが取り組んでいることについて、これまで以上によく考えています。マオリ族の伝統的な手法「トゥアカナ・タイナ（Tuakana Teina）」を用いて、高学年と低学年の生徒の間に学習関係を築いています。高学年の生徒が生徒同士で教え合うピアツーピア学習で教師の役割を担った結果、深い理解と忍耐力を身につけているのがわかります。生徒は学習に対する影響を「すでに知っていることを聞く必要がないので、前よりずっといいです」と話し、現在の進捗状況だけでなく、さらに向上するために進むべき道筋についても、明確に説明することができます。彼らは「読み書きが上達したので、この方法がとても気に入っています」とも話しています。

　次の**オランダ**のクラスターによるエピソードは、教師と教師、教師と生徒の関係の変容を捉えている。

1年前には想像もできなかった

イェレ・マルシャンとアンネマリー・エス（オランダ）

　1年前には想像もできなかった非常に明白な成功は、生徒と教師のパートナーシップによるプラスの影響がみられ、生徒の提案を受けてカリキュラムが徐々に変更されていることです。教師は、生徒と一緒に作成し、意識的にカリキュラムについて考えることが、生徒の意欲向上につながり、それによって教壇から教える授業方法よりも、教授が容易になるという経験をしています。教師たちは（オランダの）教授方法だけでは目標を達成できないだろうと認識しています。意識して授業をデザインし、探究サークルを授業の重要な一部として利用することがだんだん多くなっています。適切な目標を設定して的確な質問をするスキルを身につけるようになり、成功基準は教師と生徒が共同で決定しています。教

師と生徒が調査し学習をデザインすることにより、有意味な学習経験がもたらされています。私たちは教師がプロ意識を取り戻すのを幾度となく目の当たりにしています。このパートナーシップに参加した結果、多くの人にマインドセットの変化がみられました。すばらしいことです！とはいえ、こうした変化は容易なものではありません。なにより私たちに選択肢はなく、後戻りはできません。生徒の感謝と満足が、努力を価値あるものにしてくれます。学習に対する生徒の動機づけ、関与、そして喜びが大幅に高まっているのがわかります。

　新しい役割とパートナーシップを取り入れる学校と学区は、生徒の参加と成功が急拡大するのを目にすることになる。これまでに取り上げたウルグアイの例では、生徒が学習を教師と共同でデザインしていた。生徒が最初に抱いた好奇心が、ロボット工学を使った新しい方向性を定める不可欠な要素となり、やがて生徒が他のクラスメイトにロボット工学への新しい取り組み方とその後の進捗状況の評価方法を教え始めるにつれて深まっていった。また、オタワのグラシャン中等学校の例では、生徒はディープラーニング・リーダーシップ・チームとして、学校内でディープラーニングを評価する責任を担い、ディープラーニングをスウェーデンにおける環境安定性の問題と結びつけた。さらに遠く離れたオーストラリアでは、未来の問題の解決に取り組む3校合同博覧会を生徒たちが主導して開催した。

若者が考える未来エキスポ

リングウッド・ノース・パブリックスクール、カンタベリー・パブリックスクール、チャタム・パブリックスクール（オーストラリア・ビクトリア州）

　「若者が考える未来 (Young Minds of the Futre, YMF)」エキスポは生徒主体の博覧会で、2016年9月9日にカンタベリー小学校で開催された。これはリングウッド、カンタベリー、チャタムの3つの小学校における生徒と教師の真正の協働学習経験が結実したものである。この学習経験は、「未来」という概念と、過去がどのように私たちの世界を形成してきたのか、どのように今後に影響を与えるのかを考察する機会を参加者にもたらした。生徒は健康、スポーツ、教育、ゲーム、食料、輸送機関など、種々の関心領域についてブレインストーミングを行い、関心を持った問題点のリストを作った。そのリストに基づき、教師がiTunes Uを利用する一連のチュートリアル（個別指導）を創り出した。生徒は登録手続きをして、関心のあるチュートリアルに参加した。生徒は拡張現実

と仮想現実、子ども用アプリ開発者、スポーツ分野の技術進歩、さまざまな輸送機関とそれらが環境に与える影響、持続可能なファッションのトレンドなどについて学習した。

　生徒はチームを作って重点的に取り組む分野を選んだ。そして、参加したチュートリアルと個人研究で得た知識に基づいて、選んだ分野の未来がどのようなものになるのかを予測するよう求められた。予測した内容についてはYMFエキスポで発表することになっていた。生徒はKeynoteを使って学習を記録・主導し、担当教師に定期的に報告した。生徒たちは協力して取り組みながら、YMFエキスポでの自分たちの展示で何に重点を置くのか、なぜその考えが重要なのか、どの研究が自分たちの主張を裏付けるのか、どのような展示スペースにするのか、当日の来場者とどのように関わり、やりとりするのかを考え出していった。

　博覧会は生徒が宣伝・広告し、地域住民が招待された。詳しくは、NPDLのウェブサイト（www.npdl.global）のビデオ5.2「若者が考える未来（Young Minds of the Future）」を参照されたい。

　こうした例などからもわかるように、生徒は学校と地域社会に影響を与える学習の対等なパートナーおよび共同構築者になっている。そうなることで生徒の参加が拡大し、生徒のこの新しい役割が教師の伝統的な役割に影響を与える。生徒が対等なパートナーになるためには、教師の役割もアクティベーター、コーチ、カタリスト（触媒）に変化しなければならない。

教師の新しい役割

　学習は複雑であり、生徒は多面的である。ディープラーニングでは、教師は専門的な知識と技術を活用し、これまでにない関係性と新たな交流方法を用いて、種々の新しいやり方で学習に関与し、学習を支援している。生徒が学習プロセスを習得し始めると、教師の役割は学習課題の明確な構築から、より明確なフィードバックの提供による次の学習課題の活性化へと徐々に移行する。あらゆる状況に対応できる万能薬はないが、教師が学習プロセスに関与し促進するための役割について、考えられる3つの方法を取り上げる（図表5.4参照）。

アクティベーターとしての教師

　「アクティベーター」という言葉はジョン・ハッティの著書（Hattie, 2012）からの引用である。同書は世界の1,000件以上のメタ研究を分析して、さまざまな教授・学習戦略が生徒の学習に与える影響を検討している。そして、その知見から2つの戦略セット──ひとつは「ファシリテーター」、もうひとつは「ア

第5章

図表5.4　教師の新しい役割

アクティベーター	文化形成者	協働者
やりがいのある学習目標、成功基準、知識を創出し活用するディープラーニングの課題を設定する。	イノベーションとクリエイティビティを育む信頼と思い切った挑戦の基準を確立する。	生徒、家族、地域社会と有意味な結びつきを構築する。
利用できる教育実践を活用して、多様なニーズや状況に合わせる。	生徒の関心とニーズを土台にする。学習の共同設計者として生徒の声（発言権）と主体性を活用する。	同僚と協力し、協働探究を利用してディープラーニングのプロセスをデザイン・評価する。
効果的なフィードバックを提供して、次の段階の学習を活性化させる。	生徒が目的を貫き、自制心を発揮し、帰属意識を感じることができる学習環境を醸成する。	新しい教育法とそれらによって学習に影響を与える方法について知識を確立し共有する。

出典：Copyright © 2017 by New Pedagogies for Deep Learning™（NPDL）

クティベーター」――に分類した。ハッティによると、ファシリテーターの戦略セットのほうが従来の「壇上の賢人（sage on the stage）」よりも効果的であるものの、アクティベーターの影響はさらにファシリテーターよりも3倍大きく、効果量は0.72であるという（Hattie, 2012）。つまり、「寄り添う案内人（guide on the side）」では消極的すぎるのである。一方、アクティベーターの役割に関わる戦略セットには、教師と生徒の関係性、メタ認知、教師の明晰さ、相互教授、フィードバックが含まれる。そのリストに、私たちならカタリストとコーチも加えるが、それはアクティベーターとしての教師は、生徒と相互作用するダイナミックな役割を担うことで、有意味な学習目標を定義し、成功基準を確立し、学ぶことを学習するスキルを育み、生徒が省察的でメタ認知ができる学習者になれるようにするからである。アクティベーターは幅広い教授能力を有しており、思考手段と明確な問題を用いて特定の生徒や課題のために学習の足場をかけることで、生徒が次の段階の学習に取り組み、複雑化する能力とコンピテンシーを磨けるようにする。アクティベーターの役割を強化・補助する他の教育的な枠組みも、ここに当てはまる。たとえば、「観察された学習成果の構造（Structure of the Observed Learning Outcome, SOLO）」は教師が複雑性に応じて成果を分類するのに役立ち、生徒の取り組みを質に応じて評価するのを可能にする（Biggs & Collis, 1982）。最終的に、教師は生徒と協力して、学習に関する生徒の考え方と疑問を明確化する。教師は効果的なフィードバックプロセスを利用して、生徒の自己フィードバックとピアフィードバックの能力を育み、生徒が潜在的可能性を発揮するよう導く。

文化形成者としての教師

　動機づけというブラックボックスを開けることは、どの教師のリストでも上位にある。ポール・タフは著書『私たちは子どもに何ができるのか：非認知能

力を育み、格差に挑む（*Helping Children Succeed: What Works and Why*）』（Tough, 2016）で、複数の分野の研究を統合することによって、態度や学習環境が子ども、とりわけ恵まれない背景を持つ子どもにとって、学業上の成功を予測する十分な判断材料になりうることに目を向けている。動機づけに関する研究の示すところによれば、帰属、可能性、スキルに関するメッセージが動機づけを形成し、生徒が一生懸命に取り組み、努力したいと思う意欲と積極性に多大な影響を与える、とタフは指摘する。

恵まれた背景を持つ生徒は、学習に対する心構えができた状態で就学する傾向にあり、親の学歴が高いことも多い。そうした親は子どもたちに、困難に直面しても学校でやり遂げるのに必要な態度とスキルを身につけさせ、関心や関連性が見出せないかもしれない授業にも適切に対応することを教える。これが社会関係資本の点で大きなメリットをもたらす。

それまで学校の成績が振るわなかった生徒というのは、親が彼らに愛情を注いでいるものの、どうやって手助けすればよいのかわからない場合もあれば、仕事の掛け持ち、失業、ストレスなどから、手助けをする時間や能力、手段がない場合もある。こうした状況にある生徒を教育するための従来のアプローチは有害ですらある——退屈で的外れで、生徒に自分の能力の不十分さを常に思い出させるのだ。こうした生徒が成功するために決定的に重要なのは、教師と学校が力を貸して、生徒が個人的な期待を高く設定し、自分の学習を管理する方法を学び、学習経験が彼らの世界や文化とつながりを持つように現実世界の問題解決に関わらせて学習に参加できるようにすることである。そうした学習経験は生徒を関与させ、生徒に自分が能力を秘めた学習者であるということを示すにちがいない。

タフ（Tough, 2016）は、それらは学校で従来の方法で教えられているスキルではなく、生徒がやり遂げ、自制心を発揮し、将来の機会を最大化するであろうあらゆる方法で行動するのを可能にするために築かれる環境の産物である、と述べている。問題は、そうした特性を育む環境をどのように創り出すかということである。タフ（Tough, 2016）は、子どもたちを動機づける3つの概念を明らかにしている。それらは、帰属意識、自信、自律性であり、いずれも内発的動機づけを高めるものである。

そのため、教師は生徒の関心を大事にしてそれらを足場とし、生徒に帰属意識とつながりの感覚を与える文化の形成において、重要な役割を担う。教師のなかには、朝礼を利用してコミュニティとつながりを構築し、規範を確立し、文化を形成する者もいる。また、グラシャン中等学校の例でみたように、中等

第5章

学校でディープラーニングを実施するための鍵として、生徒のリーダーシップを育む教師もいる。生徒が意思決定者および行為者としての役割を担ったことで、学校全体での学習の転換という実際の取り組みにおいて、生徒の声と主体性が発揮された。決定的なこととして、生徒は本当に彼らの関心を引き、真正の意味を持ち、これまでよりも的確なトピックを掘り下げることになるので、ディープラーニングの課題の性格は、生徒の内発的動機づけを促すことになると私たちは考えている。そしてそのことが、生徒にやり抜き、成功したいと思わせるのだ。この自律性、帰属意識、有意味な取り組みの組み合わせは、すべての生徒の能力を構築していることがわかっているが、とりわけそれが恵まれない状況にあったり参加が消極的だったりした生徒の成功の触媒となり、そうした生徒たちが活躍し始めているというエビデンスが生まれつつある。

協働者としての教師

　教師は家族、地域社会、生徒と学習パートナーシップに参加する際に重要な役割を担う。新しい知見のひとつは、生徒のニーズと関心に基づき、真正の学習に結びつく学習を教師と生徒が共同でデザインすることが、参加に重大な影響を与えるということである。ひとつ注意すべきことは、共同デザインそのものは目的ではなく、生徒と教師の関係性を発展させるための仕組みであり、それが生徒のニーズや強み、希望を、誠意を持って尊重しながら深く理解することに基づいているということである。多くの学問分野にまたがり、現実世界の問題に表面的に注目した学習単元を生徒と共同でデザインすることは可能であろう。世界の文化や公平性に対する理解を構築すると称しながらも、現地の食べ物や衣装を賞賛するにすぎない単元や、恐竜やリサイクルなど、興味をそそるが深くない単元を、誰もが無数に目にしてきた。「クール」にみえるものは往々にして学習の点では深くない。ディープラーニングとの決定的な違いは、新しいコンピテンシーを身につける深さにある。有意味な共同デザインの違いが現れるのは、コンピテンシーの複雑性が増した発達段階へと移っていくという成長目標を生徒が確立しているときである。テレサ・ストーン校長はそれを「教師が考案し、生徒が主導した」と述べている（Teresa Stone, 2017年5月, 私信）。6Csの複合的な獲得に向かうこの動きは、学習デザインを推進する要として、学習を深いものにするはずである。

　協働者としての教師の2つめの側面は、職場の同僚とのより深いコラボレーションである。教師は協働して出発点を評価し、学習経験をデザインし、生徒の進捗状況を振り返るようになるにつれて、透明性の促進に向かう。実践に関する共通言語と知識の構築は、変革の強力な触媒となり、学年内や部局内で、また学校全体で、さらにはローカルにもグローバルにも、新しい関係性を築く手

「クール」にみえるものは往々にして学習の点では深くない。

段となる。教師が互いに学び合うために自分たちのためにできることは数多くあるが、学校リーダーにも、集中的なコラボレーションを積極的に可能にするという役割がある。

リーダーの新しい役割

ディープラーニングが成功している学校のリーダーは、意図的な方法で教授と学習を同時に支える文化とプロセスに影響を与えている (Fullan, 2014; Fullan & Quinn, 2016)。彼らは、リードする教師として各教室内で介入することでは結果をコントロールできないこと、むしろ、教師・生徒・同僚・家族の取り組みを調整してディープラーニングに向けた協働に着目させることで結果をコントロールできることを認識しており、それによって「リードラーナー (lead leaners)」として活動している。リードラーナーは、1) リーダー自身が学習モデルを作る、2) 文化を形成する、3) ディープラーニングを最大限に重視する、という3つのやり方でこれを実践するのである。

学習モデルを作る

学校リーダーは新しいアプローチへの取り組みに積極的に参加することで、自ら学習者のモデルを作る。彼らは教師をワークショップに派遣するだけでなく、教師と一緒に学習する。この学習への没入が、信頼と関係性の確立に追い風となる。その結果、リーダーは変革の実施に何が必要なのかについて理解を深めることができる。リードラーナーは効果的な能力構築の条件を理解しており、適切な資源と支援によってそれを最優先する。最終的に、彼らは取り組みを拡大するために、教師のリーダーなどの意図的な育成に注意を払う。

文化を形成する

リードラーナーは信頼を築く客観的な文化と条件を確立することで、深い協働を醸成する。その際、自ら学習者として参加するだけでなく、失敗から学ぶ限りにおいてリスクをとることをよしとする規範を定める。彼らは計画の立案、生徒の成果の検討、学習デザインの質の評価のために協働的な学習構造を構築することによって、学校内と学校間で縦と横の結びつきを育む。また、イノベーティブな実践からつねに学び、次の段階を整えるためにその知識を生かす仕組みを築く。この取り組みにおいて、学校リーダーは教師と一緒に透明性、イノベーション、実践の明確化、継続的な改善のための環境を確立する。

ディープラーニングへの焦点化を最大にする

リーダーはディープラーニングを促し、成功基準を明確にするために、一組の少数の目標を継続的に焦点化する。一連の影響の大きな実践を考案し、それ

第5章

らがすべての人に理解され、学習のデザインと評価に一貫して利用されるようにすることで、教育法の的確性を高める。指導員やチームリーダー、支援員によるそれぞれの取り組みを調整して、影響を最大化し、ディープラーニングを実現する。生徒の取り組みを検討する協働探究やプロトコルなどの協働的で深い実践が、一貫して提供され利用される。ディープラーニングのリーダーはイノベーションを奨励し支援するだけでなく、生徒の参加と学習にとって何が最も有効かを明らかにするのを後押しする。

家族の新しい役割

　昔から知られているように、家族は生徒の成功にきわめて重要な役割を果たす。貧困家庭や社会経済的に恵まれない生徒にとってはなおさらそうである。

> 家族は、能力と才能、好奇心と豊かな経験を持つ個人で構成される。家族は子どもを愛し、子どもにできる限りのことをしてやりたいと願う。家族はその子どものことをよく知っている。家族は子どもの学習、発達、健康、ウェルビーイングに一番大きな影響を最初に与える。家族は多様な社会的・文化的・言語的観点をもたらす。家族は子どもの学習に関わっており、重要な貢献をしていること、有意味な方法で関与すべきであることを認識しなければならない。
> (Ontario Ministry of Education, 2014c)

　では、学校と教師が家族を有意味な方法で関与させるにはどうすればよいのか？ 鍵となるのは強固なパートナーシップの構築である。教師と学校が家族との協力を可能にするには、双方向のコミュニケーションや保護者面談、学校行事に留まらず、家族に幅広い役割への参加を求めることが必要である。ジョイス・エプスタインの影響力の大きな研究が、つながりを持つための多様な方法の必要性を明らかにしている（Epstein, 2010; Epstein et al., 2009; Hutchins et al., 2012）。強固なパートナーシップはすべての子どもに不可欠であるが、貧困層の子どもにとってはとりわけそうである。ポール・タフ（Touhg, 2016）などの最近の研究では、過度のストレスや幼少期の苦境が学業での成功を妨げており、それを相殺する最善のツールは子どもが過ごす環境であることを指摘している。教師と学校は影響力を有するが、家族と協力して取り組んでいる場合にのみ、実際の改善が期待できる。最も重要な環境要因は、特にストレスがかかるときに彼らが経験する関係性——生活のなかで大人が子どもとどうふれあい、やりとりするか——に関連がある。若年期のこうしたふれあいややりとりが、世界とはどのようなものなのかというヒントを与え、認知・感情・言語・記憶を司る領域間で脳の神経結合を強化する。ストレスのかかる時期を子どもが乗り越える手助けが大人にできるような場合には、子どもは感情をコン

トロールする能力に長期的な影響を受けるようになる。

　そうした複雑な事柄について取り組みを進めていくにあたって必要とされるのは、相互の信頼と透明性に基づく学校と家族の真のパートナーシップである。つまり、共同での影響力の発揮と意思決定、そしてデジタル世界のツールを用いたリアルタイムコミュニケーションと積極的関与への移行が求められるのである。ディープラーニングというテーマに関して保護者と協力し始めると、2つのことが起こるようになる。ひとつは、生徒の学習への参加とその深さが増すことで、保護者が胸を躍らせることであり、もうひとつは、保護者が学習経験への貢献に意欲的になることである。初期戦略として有望なのは、生徒が何をどのように、どれほどよく学んでいるのかを示す生徒主体の学習会議や博覧会の普及、生徒の調査や研究結果を共有するためのブログやツイッター、インスタグラムなどのデジタルツールの活用がある。

地域社会の新しい役割

　教室と社会との境界線が曖昧になりつつある。教師や生徒が専門家と接触し、地元や世界の学校や知識・情報の供給源とつながることがますます増えている。そのため教師は、これまでよりも広いネットワークを作り、交流のない人と関係を築くスキルを磨き、価値あるものを確実に見分け、イノベーションプロセスを信頼する必要がある。それと同時に、生徒にも同じスキルを育まなければならない。これを言い換えると、**カナダ・ハミルトン**の8年生（14歳）担当教師が最近発見したような、「ジャストインタイム」の学習による足場作りになる。

「ジャストインタイム」の学習

8年生担当教師（カナダ・ハミルトン）

　そのクラスが取り組んだのは、学校のために新しくクリエイティブな運動場を設計・建設するという真正の課題であった。生徒は事業部を作り、運動場建設の設計と監視のために毎週スタッフミーティングを開いた。ひとつのタスクには、入札の仕様書を作成するために地元の専門家に連絡を取ることも含まれていた。生徒はタスクを分けて、電子メールで複数の企業に連絡を取った。数日経過したが、返信は1通もなかった。教師は自分が、生徒たちは人生の半分をスマートフォンやパソコンなどのデバイスに費やしていたのだから、電子メールでのコミュニケーションに長けていると思い込んでいたことに気づいた。生徒には説得力のある文章で重要なメッセージを作成するスキルが必要であることが明らかになった。やりとりして関係を築くための基礎を生徒が身につけるやい

> なや、プロジェクトは順調に進み始め、最初の電子メールに返信をして
> いなかった地域の人々も、この取り組みに深く関与するようになった。

　豊かなリソース（人的・物的資源）は地元社会にも国際社会にも存在するも
のの、生徒と教師はつながりを作り、関係性を築くための明確なスキルを磨く
必要がある。2つめは**南タスマニア**の地方の学校の例であり、学習パートナー
シップに焦点が絞られることで生じる生徒と地域社会双方のための変革を示し
ている。

変革のためのパートナーシップ

地方の高等学校の生徒（オーストラリア・タスマニア州）

　学校、企業、地域社会のつながりは、生徒が将来成功し、社会に有意
味な貢献をするための能力構築に欠かせない。2013年、タスマン・ディ
ストリクト・スクール（Tasman District School）が見出したのは、
国際的な建設会社のレンドリースと深い協力関係を結び、地元タスマニ
ア半島の地域社会との結びつきを強化するためのユニークな機会であっ
た。レンドリースの世界的なネットワークと専門的能力開発プログラム
「スプリングボード」によって、タスマン半島——タスマニア州の州都ホ
バートから1時間半かかる場所——は、複数の地域社会をつなぐための
次の対象区域に認定された。学校と地域住民は協議に参加して、観光、
地域社会のリーダーシップ、ボランティア、ビジネスの授業、学校イン
フラなど、地域全体のさまざまな分野のニーズと将来性を明らかにした。

　9年生から12年生（14〜18歳）の生徒が利益団体をひとつ選び、地
域住民やスプリングボードの代表団と協力した。地域住民と国際的な代
表団は、生徒のスキルに応じて関心分野を選んだ。8年生の生徒全員が、
生徒、教職員、スプリングボードの代表団が加わった起業家グループの
ビジネス会合に参加した。同グループは持続可能性とサービス、事業経
営の3分野に重点を置いた。

　これらのプログラムの成果は信じられないほどすばらしいものであっ
た。それまで学校の勉強にやる気を示していなかった生徒が、コミュニ
ティプロジェクトのためのアイデア考案を主導した。人見知りしがちな
生徒が、CEOや教育省の代表者を含む何百人もの前で、自信を持って発
表するようになった。過去に衝突したことのある生徒たちが、協力して
プロジェクトを遂行し、資金を調達した。カリキュラムと実際的なつな
がりがあり、具体的な方法で理解を示せるということが大きなメリット
であり、今では生徒は学校と産業界との間につながりを形成しつつある。

一部の生徒にとっては、大人が自分や自分が将来やりたいことに関心を持ってくれたことで、学業を続けるのに必要な自信が生まれたのである。

生徒たちは真のコラボレーションがどういうものなのかを、そして彼らのアイデアが真剣に受け止められるということを理解している。その一例が、グラフィティアートを練習するための壁を作りたいと考えた少年グループである。代表団の協力を得て、少年たちは提案書を作成し、プレゼンテーションを行い、費用を見積った結果、地域住民、生徒、レンドリースの代表団によってグラフィティアートのための壁が建設された。生徒たちは一連のセッションの間、建築家とエンジニアから図面の引き方を学び、地面を測定・評価し、プロジェクトの資材の費用を見積り、注文を出し、壁を建設する方法を学んだ。こうした機会は、企業と産業界が学校に賛同した場合にのみ存在する。もうひとつの例として、タスマン半島の子ども向けアクティビティブックがある。これも学校の生徒と地域住民が、代表団の助言を得て考案したものである。このプロジェクトでは、生徒たちは多数の環境団体、観光団体、企業グループと連携し、支援と資金提供を得る必要があった。生徒と地域住民は授業を実施して、ブック全体のアクティビティのページを作成し、多様なステークホルダーに実績を示すために、完成品のプレゼンテーションを実施した。こうした例では、地域社会と企業、学校が対等に関与する際、真の協働的パートナーシップがどれほど重要であるかが示されている。

こうしたパートナーシップは、経験の乏しい分野で創造性を発揮し、協働し、批判的に思考し、困難な状況でアイデアを伝える機会を提供したほか、生徒の人格を育み、グローバル市民としての居場所を創り出したが、さらに重要なのは、タスマニア半島にグローバルな視点を持ち込んだことである。

まとめ

本章で説明した新しい学習パートナーシップは、ディープラーニング独自の特徴である。生徒・教師・リーダー・家族・地域社会の新たな役割が登場している。こうした役割の変容には、管理、意思決定、関与、説明責任の移行が必要である。したがって、従来の学校教育という文化の根本的な変革を意味する。こうした移行と同時に起こるのが、学習デザインの残りの3要素、すなわちディープラーニングを促すのに最適な学習環境、デジタルの活用、および教育実践である。学習デザインの4要素が合わさって、6Csの発展に必要な教授条件を構成するのである。

第5章

教育とは
生活に備えるためのものではない。
生活そのものなのである。

——ジョン・デューイ

ディープラーニングのデザイン：
学習環境、デジタルの活用、教育実践

学習デザイン

　教室での6Csの活性化は、4つの解決策、すなわち学習デザインの4要素を用いることで加速する（図表6.1）。実際には、学習デザインの4要素は結びついていて、相互に補強し合うものである。

図表6.1　学習デザインの4要素

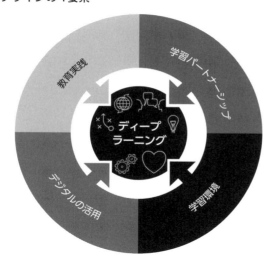

出典：Copyright © 2014 by New Pedagogies for Deep Learning™（NPDL）

　第5章で取り上げたように、学習パートナーシップは学習デザインの4要素のうちのひとつであり、生徒、教師、リーダー、家族、地域社会によるディープラーニングへの関与の仕方を急速かつ劇的に変化させている。本章では、残りの3要素——学習環境、デジタルの活用、教育実践——と、それらがどのように学習パートナーシップと連携してディープラーニング経験を促すのかを検討する。

　今日の学習者のために理想的な学習環境を再考した場合にのみ、ディープラーニングが成功するのだと認識することから始める。

学習環境

学習デザインの第二の要素は、学習環境である（図表6.2）。この要素で考慮されるのは、「物理的空間と仮想空間を含むが、さらに重要なこととして、文化的空間と関係性の空間を含む現代的な学習"空間"」（Miller, 2017）の創出に重点を置いた一連の決定である。

図表6.2　学習環境

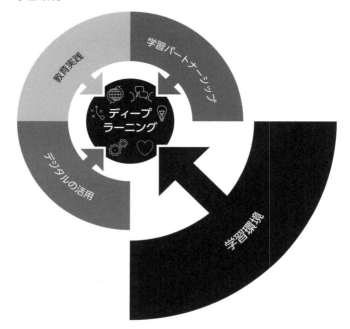

出典：Copyright © 2014 by New Pedagogies for Deep Learning™（NPDL）

多様な学問分野——幼児教育、心理学、認知科学、学校建築、デザイン——の研究者と実践者が、学習環境は「第3の教師」であり、将来の課題に創造的かつ有意味に対応したり、問題を軽減したりするために、生徒の可能性を最大限に引き出すような学習を強化できると主張している（Fraser, 2012; Helm et al., 2007; Ontario Ministry of Education, 2014b; OWP/P Cannon Design Inc. et al., 2010）。学習環境には2つの側面が不可欠であり、これらは相互に関係している。ひとつの側面は、大人も生徒も同様に可能性を発揮できる学習文化の醸成であり、もうひとつの側面は、できるだけ効率的にコンピテンシーを身につけることができるような物理的空間と仮想空間のデザインである。

学習文化

　従来の教室を、活力、創造性、好奇心、想像力、イノベーションを育む学習文化に変容するにはどうすればよいだろうか？ これまで、自律性、有能感（コンビテンス）、関係性という生徒の基本的欲求（Ryan & Deci, 2017）を満たす重要性と、そうした感覚を促進する環境を教師が創出すれば、生徒が示す動機づけがずっと高くなるという知見を取り上げてきた。そうした環境が創出されるのは、すべての声が尊重される相互信頼という規範を教師が意図的に作り出す場合であり、教師が自ら共感を示して生徒のニーズと関心に熱心に耳を傾ける場合であり、生徒が学習者としての有能感を感じられるように教師が課題を作成する場合である。自律性は生徒が選択を行えるときに育まれ、有能感は生徒の現在の能力を少しだけ上回る課題を与えられたときに伸びる（Tough, 2016）。ライアンとデシ（Ryan & Deci, 2017）は、有能感と自律性と関係性が育まれるにつれて内発的動機づけが活性化され、それはすべての生徒にとって重要であるが、恵まれない背景を持つ生徒の経験においてはいっそう大きな役割を担うことができると結論づけている。ディープラーニングを促す教室を作るための処方箋はひとつではないが、ディープラーニングに近づいている教室には、いくつか共通の特徴がある。

ディープラーニングに近づいている教室の特徴

1. **質問をする生徒**：生徒は探究を進めるためのスキルと言語を身につけており、教師の答えを受動的に受け入れようとはしない。

2. **答えよりも問いを尊重**：学習、発見、伝達のプロセスは最終結果と同じくらい重要である。

3. **多様な学習モデル**：アプローチの選択は生徒のニーズと関心に合致している。生徒は次の課題に手を伸ばすことを支援される。

4. **現実世界での応用との明確なつながり**：学習デザインは成り行き任せではなく、関連性と意味を足場として構築される。

5. **コラボレーション**：生徒は教室内外で協働するためのスキルを有している。

6. **カリキュラムの中に埋め込まれていて、透明性と真正性のある学習評価**：生徒は個人目標を明確に定義し、成功基準に対する進捗状況をモニターし、仲間や他者とのフィードバックに参加する。（Fullan & Quinn, 2016, p. 97）

　デザイン段階で問うべきなのは、尊重の規範、コラボレーション、信頼し合えるコミュニティ、思い切って挑戦する意識、好奇心と創造性のための時間、生徒の声と主体性をどのように構築するか、ということである。

物理的環境と仮想環境

生徒に対して好奇心が強く他者とのつながりを持った協働者になってほしいと願うのなら、大小を問わずグループでのコラボレーションを柔軟に提供できるような多面的な空間、省察と認知のための静かな場所、調査・探究・コミュニケーション・記録を行うための活動的なエリア、苦労せずにアクセスできる豊富なリソースを用意する必要がある。イノベーティブな学習環境が世界中で登場している。コーアチェラ・バレー統一学区では、Wi-Fi設備を積んだバスを極貧地域に駐車させて、生徒と家族がインターネットにアクセスできるようにしている。デリムット・パブリックスクールでは、生徒が何か熟考する必要がある場合には「洞窟」を、情報の共有とコラボレーションが必要な場合には「社交場」を、学習行程を話し合う場合には「キャンプファイア」を学習空間として用意している。綿密でイノベーティブな学習が最も伝統的な場所で行われている——それには少しの工夫と洞察力が必要なだけである——一方で、デジタルの豊かさに対応するための教育法を欠いた高コストの新しい建築物を目にする。実際に利用されているイノベーティブな学習環境については、NPDLのウェブサイト（www.npdl.global）でビデオ6.1「オーストラリアのデリムット・パブリックスクール（Derrimut Public School, Australia）」を参照されたい。

こうした多数のイノベーションで重要なのは、建築物そのものではなく、学習を意図的に支えるためにそれらをどのように用いるかということである。

教室の壁を透明にするには、空間を再設計するに留まらず、教室の内外でどのようにつながりを持てるかを吟味することが必要である。生徒に対して地域内外で専門家を探し、多分野の知識を築いてほしいと願うのなら、適切に差異を認識するための複数のスキルをどのようにつなぎあわせるのか、多様な世界でどのように関係性を築くのかを明確にする必要がある。私たちの研究が示すように、生徒による関わりが進むにつれて、彼らは学校の内外でつながりを作り、学習を24時間365日の活動にし始める。

学習環境は、新しいパートナーシップが登場するにつれて文化的に、また、学習の壁が透明化するにつれて物理的に、急速に変化していく。本章の最後で取り上げる実例は、学習が従来の教室の内外で世界とつながり、場合によっては全国または世界の専門家とつながる多様で豊かな方法を示している。こうした新しいつながりを作り、無限の可能性を拓く最も有効な方法のひとつは、学習デザインの第三の要素——デジタルの活用——である。

教室の壁を透明にするには、空間を再設計するに留まらず、教室の内外でどのようにつながりを持てるかを吟味することが必要である。

デジタルの活用

　デジタル世界は生活のあらゆる側面に影響を与えており、学校も例外ではない。デバイスが学校現場に導入されて数十年になるが、その潜在的能力が発揮されることはなかった。ここではまず、図表6.3に示すように、他の3要素と同時に用いられた場合、学習プロセスを加速させ、促進し、深化させるようにデジタルを活用するために使える意思決定ポイントを説明する。

図表6.3　デジタルの活用

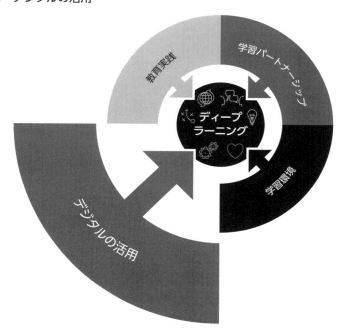

　ディープラーニングのデザインに際しては、次の2つの問いに答える必要がある。

a. 生徒主体の学習を育みながら、学習を促進・拡張・加速できるようにデジタルを活用するにはどうすればよいか？

b. デジタルは従来のアプローチでは対応できないどのような変革的な学習機会を提供するのか？

　私たちが「テクノロジー」の代わりに「デジタルの活用」という語を用いるのは、現代のデバイスやソフトウェア、アプリについて論じているのではなく、デジタルとの相互作用が学習の向上に果たしうる役割に焦点を合わせているこ

第6章

とを示すためである。デジタルの効果的な利用は、地理的な場所に関係なく、生徒、家族、地域住民、専門家とのディープラーニングのパートナーシップを促進し、生徒が教室の壁の内外で自分の学習を主導する能力を支える。デジタルは加速装置ではあるが、ディープラーニングの成果の駆動輪は新しい教育法の4要素すべてである。NPDLで重視しているのは、デジタルツールそのものの複雑性ではなく、ディープラーニングの直接的な開発にデジタルツールをどのように活用できるかという点である。

知識へのアクセス手段はもはや本や教師に限られておらず、おまけに絶え間なく進化している。最近、古書店に行ったとき、著者の1人が1980年代に出版された『ブリタニカ百科事典』を見つけた。私たちはそれを見て、かつて生徒に対して、図書室に足を運び、あまり変化のない一揃いの資料のなかから選ぶという調査スキルを教えるのに心を砕いたことを思い出した。今日に話を進めると、教師の役割は、生徒にインターネット上で利用できる無限に近いリソースを提供して、新しい知識を識別し、批判的に評価し、発見し、創造するスキルとコンピテンシーを獲得させるというものになっている。ディープラーニングが重視しているのは、学習の完全な一部としてデジタルをユビキタスに利用することであり、その週に取り上げるアプリやソフトウェアに注目することではない。これまでは、生徒にすでに答えの出ている問題を解くよう求めることがほとんどであった。現在では生徒に求めるのは、情報の消費者になることから、生徒が考案した解決策を現実世界の問題に応用することへと変わっている。デジタル世界は、学校の境界を越えて真の利用者とつながり、またグローバル規模でそうするための仕組みをもたらしている。

デジタルについては選択肢が無数にあり、学習に不可欠なメディアの一部として慎重に利用するにあたっては、教師がどこにポイントをおいて決定するかが重要となる。選択肢の幅は日々拡大しているため、ここで分類することは避ける。私たちの認識では、学習デザインのプロセスで教師に必要なのは、膨大な選択肢のなかから最も適切な形態のデジタルを選択することであり、また生徒がそれを利用するスキルだけでなく、利用して知識を確立し、協働し、新しい学習を生み出し共有するための方法を識別するスキルを持てるようにすることである。実のところ、学習を高めるためのデジタルの最適な利用方法の特定と選択は、生徒のほうが先導的役割を担っていることの多い分野であると私たちは考えている。

適応型テクノロジーは、分散した地域で学ぶ多数の生徒への教育サービスの提供を低コストで急速に進展させる役割を担っているが、それは開発途上国や特別の障がいを持つ生徒にもあてはまる。この点に関して、ウルグアイのクラ

スターは好例であるといってよい。そこでは、デジタルを活用することで、過去10年間に教育システム全体が大きく改善してきた。

　学習デザインの最後の要素は教育実践である。一般的には、利用できる最善の教育実践は何か、と単独で考慮されるのが普通だが、私たちのモデルでは、学習デザイン全体を構成する4要素の本質的な部分として組み込まれることが必要だと考えている。

教育実践

　どの教育実践が学習目標と成功基準を達成するのに最も効果的かを判断するプロセスでは、教師は4要素の相互作用と、それが教育実践の選択にどのように関わるのかを考慮する必要がある（図表6.4参照）。

図表6.4　教育実践

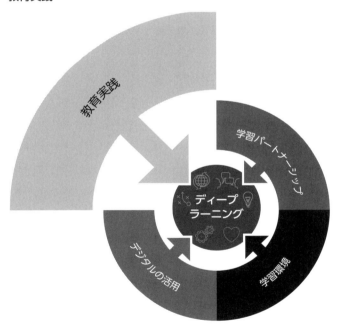

出典：Copyright © 2014 by New Pedagogies for Deep Learning™（NPDL）

　第3章で取り上げた、ウルグアイ、フィンランド、カナダの各国でディープラーニングを実践している教室の事例を思い出してほしい。これらの事例が伝えているのは、教室の壁を越えて広がり、生徒が協働的に参加し、生徒の情熱に火をつける豊かな学習経験である。この新しい学習プロセスを進めることで、教師としての自分と教授・学習プロセスのあらゆる側面が影響を受けることを、教師は即座に認識するようになる。すなわち、インスピレーションと強

固な道徳的目的——「生徒にこうした参加的な方法で学んでほしい」——は、戦略ではないのである。教師はまた、生徒の成功を危険にさらすことなく、従来の授業計画と進行ガイドからの移行を開始する方法を知る必要がある。私たちが教育者とNPDLについて話し始めると、最初に教師から「つまり、私がやっていたことは間違っていたということですか？」と尋ねられる。その答えは間違いなくノーである。すでに知っていることを投げ出すのではなく、ディープラーニングにとって重要な過去の有効な教育実践の多くを、深さのある新しいレンズを通して見て、時代に合わず効果のないものを排除するのである。欠如モデルのマインドセットから始めるのは生産的ではない。もっと正確に言うと、教師には、進めるべき有効な実践を選択し、イノベーティブなアプローチを導入する方法を学ぶための支援が必要である。影響を最大限に引き出し、デジタルを活用し、学習を加速させようとするなら、教師は指導と評価の実践に関して深い専門知を身につけなければならない。

　これまでの例で示したように、ディープラーニングを取り入れる教師は、ディープラーニング経験とこれまでよりも豊かな学習単元をつくるという視点から考え始めているのがわかる。そうした経験と学習単元は、コンピテンシーを育む時間をもたらし、しばしば探究型、問題基盤型、プロジェクト（基盤）型、学際型などの授業モデルを活用する。こうしたモデルでは、往々にして教師はアクティベーターの役割を担い、生徒は選択に参加して自分たちの学習に責任を負うことが必要になる。こうしたより長い学習経験では、生徒は学習を応用する真正で関連性のある問題やシミュレーションに参加することがほとんどである。このように、生徒による選択、より有意味な課題、生徒の責任の拡大を組み合わせることで、多くの場合、参加の拡大がもたらされる。これはディーパーラーニングのプロセスを示唆する最初の特性である。では、教師はどのように始めればよいのだろうか？

　教師はモデルの選択を一から始める必要はなく、これまでに実施された豊富なディープラーニングのアプローチを利用することができる。構成主義や生徒による選択、真正の学習は新しい概念ではない。実際、多くの教育者が生徒を中心に据えて、成長するための有意味でやりがいのある機会を与えるアプローチを長らく主張してきた。数十年前、ピアジェ（Piaget, 1966）は4つの認知発達段階と、学習者が自分自身で理解を構築するという考えを発表した。シーモア・パパート（Pappert, 1994）は構成主義の概念を基に研究を進めるとともに、コンピュータを、問題基盤型学習の完全な一部として利用すべきツールとみなした。モンテッソーリ（Montessori, 2013）とレッジョ・エミリアのアプローチは、幼児教育に関する強い信念に基づき、逞しく、能力を秘め、さらには

レジリエンスがあり、不思議に思う気持ちと深い好奇心と潜在的可能性とを豊かに備え、世界とそのなかでの自分の居場所を理解しようとする存在として、子どもを尊重している。

　教師は生徒に生涯学習者となる準備をさせるために、多様なモデルを利用するスキルを磨く必要がある。学習は継続的なプロセスであり、今では実践コミュニティ、個人的ネットワーク、仕事関連の課題の遂行など、多様な方法によって学習が生じている。テクノロジーの利用は脳を変化させたり書き換えたりしており、（特に認知情報処理において）これまで学習理論が対処していたプロセスの多くを、現在ではテクノロジーが肩代わり、すなわちサポートすることができる。学習モデルは進化しており、教師には実践についての広範なレパートリーが必要である。

　図表6.5は、教師が学習経験をデザインする際に選択できる豊富な選択肢の例を示している。私たちはこの新しい教育実践を、現実世界における新しいアイデアと知識の創造と応用を促す、最も有効な教育実践とイノベーティブな新しい実践との融合として述べている。

　NPDLのグローバルパートナーシップは生きた実験室として機能しているため、この融合は新しい実践が協働して改善され共有されるにつれて、たえず進化していく。実のところ、教師はつねに学習と評価のプロセスに関する深い知識を磨いているのである。教師は経験と課題の足場を築き、生徒のニーズと関心にきめ細かく対応させて、関連性や真正性、現実世界とのつながりを通じて最大限に成果を引き出す方法を知る必要がある。また、生徒の多様なニーズと関心に合わせるための幅広い戦略と、探究型学習や問題基盤型学習などの実績のあるモデルについての深い理解が必要である。こうした基礎をなす有効な実践に加えて、教師にはイノベーティブな実践と学習・評価へのデジタルの利用において専門知を磨くことが求められる。教師は津波のように大量の選択肢に直面しているのだ。ディープラーニングのデザインの方法はひとつだけではないが、最初の一歩は、教師が学習経験の進展に合わせて学習をシームレスに活性化できるように、基本的な実践とイノベーティブな実践の両方に関するスキルと知識を育むことである。それは困難なことに聞こえるかもしれないが、教師が実践を共有するにつれて、明示性に透明性が合わさり、新しいやり方の学習と獲得が継ぎ目なく実施され、急拡大していくことがわかっている。

　これはたまたまだが、私たちが厚かましくも新しい教育法のみを扱っていると主張したとして、私たちを批判した人々への応答となった（ちょっとした冗談である）。教育法には新しいものも古いものもあり、どちらにも適切な実践

私たちはこの新しい教育実践を、現実世界における新しいアイデアと知識の創造と応用を促す、最も有効な教育実践とイノベーティブな新しい実践との融合として述べている。

第6章

図表6.5 有効な教育実践とイノベーティブな新しい実践の融合

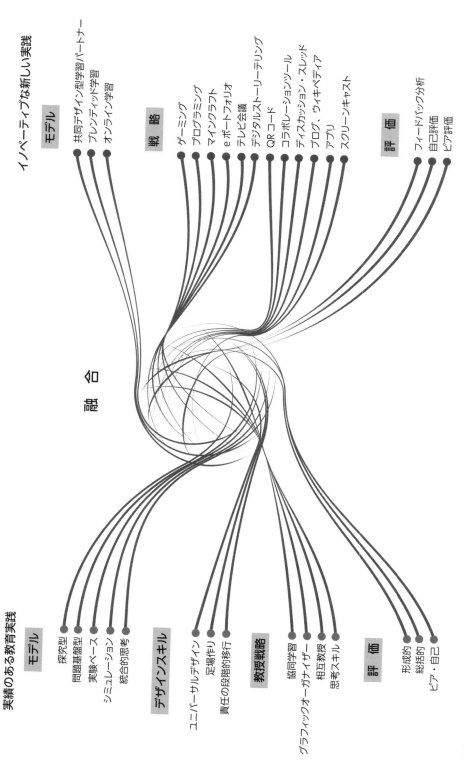

実績のある教育実践

モデル
- 探究型
- 問題基盤型
- 実験ベース
- シミュレーション
- 統合的思考

デザインスキル
- ユニバーサルデザイン
- 足場作り
- 責任の段階的移行

教授戦略
- 協同学習
- グラフィックオーガナイザー
- 相互教授
- 思考スキル

評価
- 形成的
- 総括的
- ピア・自己

融 合

イノベーティブな新しい実践

モデル
- 共同デザイン型学習パートナー
- ブレンディッド学習
- オンライン学習

戦略
- ゲーミング
- プログラミング
- マインクラフト
- eポートフォリオ
- テレビ会議
- デジタルストーリーテリング
- QRコード
- コラボレーションツール
- ディスカッション・スレッド
- ブログ、ウィキペディア
- アプリ
- スクリーンキャスト

評価
- フィードバック分析
- 自己評価
- ピア評価

出典：Quinn, J. Copyright © 2014 by New Pedagogies for Deep Learning™ (NPDL)

図表6.6　古い教育法と新しい教育法

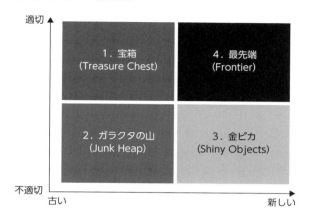

出典：Copyright © 2014 by New Pedagogies for Deep Learning™（NPDL）

と不適切な実践があることを私たちは潔く認めている（Fullan & Hargreaves, 2016）。それを示したのが、図表6.6の4つに区切った図である。

　適切な古い教育法（構成主義など）もあれば、不適切な古い教育法（教師の一方的な講義など）もあり、不適切な新しい教育法（目的のないデジタルの使用など）もあれば、適切な新しい教育法（学習パートナーシップなど）もある。ディープラーニングとは最も有効な古い教育法と新しい教育法を、それらが過去の貴重な宝箱であるか学習の最先端であるかを問わず、見つけだして発展させることである。

　いずれにしろ、教育実践の的確性はディープラーニングのための重要な土台である。今日では探究型学習、問題基盤型学習、プロジェクト型学習、統合的思考、知識構築、デジタルイノベーションなどがもたらす希望の光を、あちこちの学校や国で見つけることができる。探究モデルをベースにしている学校の例に、**オーストラリア**のグローブデール西小学校がある。

> ディープラーニングとは最も有効な古い教育法と新しい教育法を、それらが過去の貴重な宝箱であるか学習の最先端であるかを問わず、見つけだして発展させることである。

マレーシアの子どもたちのためにミニ図書室を設立したオーストラリアの子どもたち

グローブデール西小学校の1・2年生（オーストラリア・ビクトリア州）

　同校は長年、リテラシー（読み書き能力）をとても重視し、探究プロセスを利用してきた。1・2年生の1人の少年が、帰国予定のマレーシアのコミュニティのためにミニ図書室を設立するという夢を描いた。その

コミュニティでは利用できる本があまり多くないうえに、本が非常に高価であることを知ったからである。教師たちは少年の夢を実現するための長期プロジェクトを考案した。教師たちは生徒のために学習経験をデザインし、生徒たちはそのなかで、本を集め、出版社に説得力のある手紙を書き、自分たち自身で物語を考えて、600冊以上の本をクアラルンプールに送るための援助資金集めのイベントを組織した。現在クアラルンプールには「マイ・ミニ・ライブラリー（My Mini Library）」が設立されており、郊外の子どもたちに本を届ける移動図書館を実現するために、マレーシアの教育当局と交渉を行っているところである。プロジェクトの影響はそれだけに留まらなかった。このプロジェクトが契機となってグローブデール西小学校はオーストラリア勲章協会（Order of Australia Association）のシティズンシップ賞（Citizenship Awards）の最終候補に残ったのである。

　NPDLのウェブサイト（www.npdl.global）のビデオ6.2「マレーシアのミニ図書室：グローブデール西小学校（Mini Library in Malaysia: Grovedale West Primary School）」では、グローブデール西小学校の生徒が、自分たちの行動によって自分たちの生活と他者の生活がどのように変わったのかを明確に表現する様子と、教師が学習を促すために用いたプロセスをみることができる。

　この学習経験は学校全体で協働してデザインされた。教師は探究モデルを利用したが、具体的なリテラシー戦略と組み合わせて、すべての生徒が貢献できるように足場作りを取り入れ、改良した協同学習アプローチを用いてコラボレーションを構築し、デジタルを活用して専門家や企業パートナー、マレーシアの自治体の指導層とやりとりした。教師たちは教育法に関する決定を前もってすべて下すことはできなかったが、学習目標の明確さが増すにつれて、共有している教育実践のレパートリーのひき出しを意図的に利用して学習経験をうまく作りだすことができた。この経験は1人の生徒の関心と声がきっかけであったが、拡大を可能にしたのは、その試みに、参加したいという他の生徒たちの声であった。

　私たちのモデルのこの要素——教育実践——は、生徒がコンピテンシーを身につけるための道筋を築くのに不可欠である。グローブデール西小学校の例でみたように、生徒が自分たちの学習についてより大きなコントロールを発揮するにつれて、新しい教育実践によって新しい関係性と関わり方が育まれている。教師が専門的な知識と技術を利用して生徒や家族、地域社会と新しい方法で関与するようになるので、学習デザインの第二の要素——「学習パートナーシップ」——が発展していくのである。

図表6.7 ディープラーニングの要素をまとめたテーブルマット型オーガナイザー

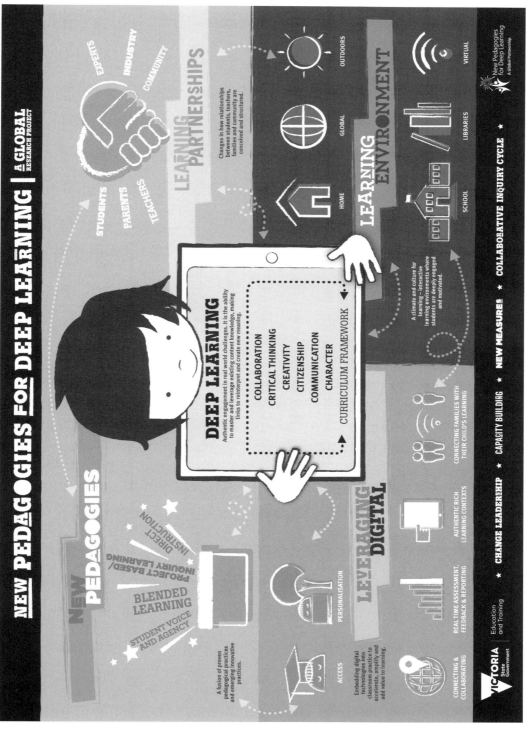

出典：ビクトリア州教育訓練省

4要素をまとめる

　ディープラーニングを促すための型にはまったアプローチは存在しない。4要素を6Csと組み合わせることで、多数の教師がデザイン上の重要な問題を整理し、学習を促し広げ深めるための学習経験をいっそう意図的に開発することができる。

　オーストラリアのクラスターが作成したテンプレート（図表6.7参照、www.npdl.globalでも閲覧可能）は、ディープラーニングをデザインするためのビジュアルオーガナイザーとして有用である。

　テーブルマット型オーガナイザーの利用は、デザインの全4要素を考慮し、それらを視覚的に組み合わせるひとつの方法として、7か国で普及してきた。こうして自然に世界に広がっていることに、教師がこの思考の枠組みを重視していることが如実に示されている。

　4要素への焦点化はデザインの取り組みの土台となり、協働的な計画と個人的な計画の出発点を提供する。あるクラスターのリーダーが述べているように「長所は、深さについて話し合いで明らかにし、1年間でどれだけ成長したかを検討し、新しい教育法の枠組みの連続する4つの部分のどこにいるかを示すことができる点です。私たちが強みを確立しつつあるのはそこです」（2016年6月，私信）。6Csについて明確にするとともに、用語と理解、有効な教育法を共有することは、教師が実践中の教育法を特定するのに役立っている。こうした成果と学習プロセスにおける的確性の向上は、ディープラーニングが大規模に離陸するための条件を整えつつある。

まとめ

　6Csと4要素を学習デザインで利用することにより、学習のための強力な土台が提供される。パートナーシップ——第5章——はディープラーニング開発の大部分にとっての触媒である。一人きりの学習者というのは、今なお選択肢として取りうるが、また、私たち全員が自分で学習する能力を身につけるべきではあるが、結局は自律性とコラボレーションの両方の組み合わせこそが学習の世界を動かすのである。学習とは社会的な現象である——デジタルにつながり合う世界ではますますそうなっている。

　他に3つの要素——学習環境、デジタルの活用、教育実践——がそろって、ディープラーニングが構成される。さらに、3要素はいずれもつねにイノベーションを続けている。つまり、ディープラーニングそのものがダイナミックであるはずなのだ。私たちは強固な枠組みを手にしていると考えており、そして

それを、変化を生み出しながら取り入れることができる——言うなれば適応性のある——枠組みととらえている。結局のところ、私たちの構想の全体は、「すぐそこにいる」学習者が将来を支える主なエネルギー源であるという前提に基づいているのである。

　これまでのところ、こうした学習者が次々に深いイノベーションをもたらしている。本章の締めくくりに6つの実例を取り上げて、私たちのパートナーがディープラーニング経験を作るのに、どのように4要素と6Csを取り入れているのかを示そう。

　そうした実例のすべてで学習を推進しているのは協働プロセスであり、それが能力を構築して、現在の実践から将来の実践への移行を加速させているのである。

一緒に地域を
きれいにしよう

「僕たちは問題をただ心配しているだけではありません。行動を起こしているのです」。

これは8歳児の力強い言葉である。彼と彼のクラスは1年間の学際的な野外探究プログラムに参加した。川について調べる短期間の学習プロジェクトとして始まったものが、1年に及ぶ行動要請プロジェクトに発展した。

「子どもたちに地域との関わり方と変化の引き起こし方を示すすばらしい方法です。子どもたちに自信を持たせることで、彼らが"ただの子ども"ではなく、地域社会の一員であり影響力があるということを教えています」
（保護者）

「子どもたちは、自分たちの行動によって町と環境に真の変化を引き起こせるのだと実感することができました。こうしたスキルは、子どもたちがもっとしっかりした誠実な大人に成長することにつながるでしょう」
（保護者）

詳細はこうである。生徒たちは、地域の川について調べる学習をしていたとき、遊歩道にゴミが落ちているのに気づき、対策を講じることにした。そこで、1年生と協力してゴミを拾った。全員で学校に戻ってから、拾ったペットボトルで作品を創り、学校集会で自分たちの懸念について発表した。だが、それに留まらなかった。生徒たちは人がなぜゴミをポイ捨てするのかもっと理解する必要があった。そこで、彼らはアンケートを作成して町に繰り出し、地域住民から学んだ。しかし、それで終わらなかった。担任教師のジェン・ローが生徒たちにGoogleハングアウトやドキュメンタリーのほかに、インターネットで質問できる生物学者や研究者を紹介した。「生徒たちは収集したゴミのデータをリテラティ（Litterati）のウェブサイトに入力する方法を見つけました。……それから、ミレニアム・トレイルの利用者を啓発する看板を立てるために、『持続可能な未来のための学習』に助成を申請することにしました」と彼女は話している。

次に、生徒たちは自治体の公園とレクリエーションを担当する部局に彼らの懸念を伝えることにした。生徒は1人ずつスライドを作成した。町長が子どもたちのことを聞きつけたのはその頃だ。町長に勧められて、生徒たちは町議会で発表し、メディアへのキャンペーン活動を開始した。その後、生徒たちは同じ町内の11年生のメディアクラスと協力して、町議会のためにポスターをデザインした。その頃には6月になっていた。

ディープラーニングは恒久的なプロセスであり、この3年生の生徒たちが実証しているように、世界に真の変化をもたらすことができる。

3年生　情報提供：ジェン・ロー（レンフルーカウンティ、クイーン・エリザベス小学校）

失敗は
学習の始まり

　教師のアンドリュー・ブラッドショーには、関心を引かれる問題があった。12年生の工学の生徒たちは、自分たちの学習をなおざりにして学業成績にばかり気を取られていた。クリエイティビティやより深い理解を取り入れるのではなく、成績を追求していたのだ。ブラッドショーは「工学プロセスにおいて、クリエイティビティは見落とされがちです。工学の生徒は良い評価と"勝てる"成果物を得るための"安全"で実証済みの方法を追い求めて、クリエイティビティを捨てる危険に瀕しています」と話す。

　そこで、ブラッドショーは2週間という短い期間で、クリエイティビティとキャラクター、クリティカルシンキングに重点を置いた課題を生徒に課した。生徒たちは技術的知識だけでなく、イノベーティブな思考を用いて、10ドルの相撲ボット（Sumo Bot）に新しいソリューションを考案しなければならなかった。コンピュータで動く相撲ボットを設計し、部品を調達し、製作し、プログラミングをしてから、互いのボットを闘わせることになった。

　ブラッドショーは生徒にクリエイティブシンキングの理論を紹介した後、一緒に成功基準を設定した。そこには、思い切った挑戦（リスク・テーキング）、部品調達での節約、理論的根拠の確立、学習の振り返りが含まれていた。生徒たちは時間の管理方法を学んで試作品を製作し、ブラッドショーは傍らで生徒を指導した。地域を拠点とする工学パートナーが数回訪問し、生徒に協力した。

　ブラッドショーは「例外なく、すべての生徒がプロジェクトを気に入りました。……生徒たちは楽しみながら、がらくたを使える部品に変えていました。私が授業で提供したものに限定されるよりも、好きなように設計する自由を喜びました。私もこの点が気に入っています」と説明する。

　同様に生徒たちは時間と資源の制約——エンジニアが現実世界で直面する問題——があるなかで工夫することを学んだ。おそらく最も啓蒙的な意見は生徒であるエリカのものであろう。彼女は「今回のチャレンジは創造性のある人には成長する大きなチャンスでしたが、創造性のない人にはとんでもなく大変な経験でした」と述べている。リスクと失敗を常態化することが学習プロセスの重要要素である。失敗は学習の始まりなのである。

情報提供：アンドリュー・ブラッドショー（エイボン・メイトランド、ストラトフォード・セントラル中等学校）

「失敗を終わりにしてはいけない。学習の始まりにすべきである」（生徒）

「今回のチャレンジは創造性のある人には成長する大きなチャンスでしたが、創造性のない人にはとんでもなく大変な経験でした」（生徒）

12年生
コンピュータ工学

好奇心は
天性のもの

2人の教師が12歳の生徒に対して、生物とリテラシーを教えるための新しいアプローチを取り入れることにした。学校の近くに森があるので、生徒に次の課題を与えた。森の中で小さな場所を決め、メモや写真をとり、測定して、一定期間じっくり観察するというものである。観察したことについてデジタル日誌をつけるよう生徒に求めた。

「授業は教師が干渉することなく進められました。私は生徒にアドバイスをして、やる気を引き出しただけです」　（教師）

好奇心は天性のたまもの。ディープラーニングは自然に生じるもの。

テクノロジーはこうした野外での学習課題にうってつけであった。生徒たちはツインワンデバイスのサーフィス（Surface）に集めたデータを記録し、スカイプ（Skype）で外部の専門家に取材した。新しい知識を得て学習の成果物を作り出し、ワンノート（OneNote）とスウェイ（Sway）で学習ノートを作成した。

生み出された洞察は、教科書からは得られないものであった。生徒たちは森の中に自分だけの小さなスペースを区切って一定期間調べることで、そこに息づく小さな不思議——木、昆虫、土、動植物、季節の変化、気候変動の影響など——に気づくようになった。生徒たちは馴染みのある森を新しい視点で見て、そこに暮らすはかない生物への認識を高めることを学んでいった。そして、この経験を通じて、生徒はキャラクターとシティズンシップ、クリティカルシンキングのコンピテンシーを身につけた。

観察した事柄に驚いたのは生徒だけではなかった。教師は生徒に責任を委ねて選択を与えると、生徒が成長することに気づいた。1人の教師が述べているように、「子どもたちが自信を持って熱心に取り組む姿を見るのは楽しいことでした」。好奇心は天性のもの。ディープラーニングは自然に生じるもの。

7年生　　**情報提供**：モイソン・コウルとトンミ・ランタネン（トゥルク）

教師の負担を
軽減する

　教師の作業負荷については誰でも知っている。時としてその作業負荷は文字通り「負荷」である。教師は毎日、iPadや教科書や資料集、その他の教材を抱えて教室から教室へ、自分の車から校舎へと移動する。セイクリッド・ハート・スクールで、教師はこうした面倒を生徒のイノベーティブな思考に役立てるため、重い荷物をもっと効率的に運搬できる車輪のついた発明品を協働で考案するよう求めた。

　まず、教師はユーモアのあるビデオクリップを制作して問題を提起し、生徒に設計課題を与えた。続いて、「自分の自転車を持ってくる」日を設け、生徒に車輪が動く原理や技術に親しませた。生徒は駆動システムやエネルギーの伝達、ゴムバンドの仕組みなどを調べた。また、QRコードハントに参加して、荷物の安全な運搬方法について学習を深めた。

　年齢も能力もさまざまな生徒のグループで協働し、グループでソリューションを設計した。互いのアイデアや計画の批判的な分析に重点を置いた。保護者もパートナーとして参加し、生徒が使えるように、古いベビーカーやホイールベルトなどの中古部品を少しずつ集めていった。生徒と保護者で協力して試作品を作成し、テストを行った。生徒は最終発明品を教師に贈り、発明品の背後にあるアイデアと学習プロセスについて振り返って気づいたことを説明した。

　真正のデザイン課題はどこにでもある。生徒に現実の問題を解決する機会を与えると、それは生徒から意欲と共感を引き出すだけでなく、教師の実際の負担を軽減することもできる。

情報提供：オリビア・カリーとキャス・クラーク（セイクリッド・ハート・スクール）

「先生方が子どもたちに与えた課題は、驚くような学習経験でした。息子は帰宅すると、それまでに取り組んだことをこれまでになくたくさん話してくれました」　（保護者）

「私たちは授業を反転させ、生徒たちは私たちに彼らの発明品がどのように機能するのか教えてくれました」　　　　　（教師）

3〜5年生

与えることについて再考する

パジャマデーが好きではない人はいるだろうか? ワイメア・ハイツ小学校に通う生徒は、長年パジャマデーを楽しんできた。非常に楽しまれてきたので、学校文化の一部になっていた。いつの間にか、みんながボアスリッパで学校に来る理由が忘れられてしまった。教師たちは生徒が世界の他の人々のニーズと、なぜ与えることが大切なのかについて、本当に理解しているのか疑問に思っていた。

そういうわけで、生徒たちは貧困——その原因、偏在性、いくつかの解決策——についてよりよく理解することに挑戦することになった。デジタルテクノロジーを利用してパートナーとつながることで、生徒たちはマイクロファイナンスとクラウドソーシング、そしてそうした小口金融がどのように生活を変えるのかについて学習した。わずか25ドル集めれば、生徒たちは世界のあらゆる場所の新興企業に融資することができ、その貸付金が返済されれば、新たに貸し付けることも、寄付することも、引き出すこともできる。

「それは実生活の問題であって、ワークシートではありません」　（生徒）

「世の中には、私たちが毎日していることをするためだけに、余分にもっと働かなければいけない人たちがいるのだと知りました」　（生徒）

そのことに刺激を受けて、生徒たちは25ドル以上を調達する独自の計画作りに取りかかった。計画では独創性、費用対効果、独立性を示さなければならなかった。あるグループはゼリーを手作りして地域で販売することにした。別の生徒は地元の病院に募金箱を設置して、「小銭で変化を起こそう（Make a change with your change）」という標語を考え出した。別のグループは種からヒマワリを育てて販売した。資金集めプロジェクトを開始するやいなや、生徒たちは小口融資依頼について調査し始め、集めた資金をどこへ投入するかを情報に基づき決定した。1人の生徒はこの学習を振り返って、「食料やきれいな水を買うためのお金がほとんどない人に融資をすることが、どういう感じなのか知ることができてよかったです。私たち生徒が独自のアイデアと計画を考案することも必要です。結果を出すには、考えた計画を実行することも欠かせません」と話した。

このディープラーニング戦略によって、誰もが改めて考えることになった。1人の教師が述べているように、「どう与えるかを再考している」のである。

5〜6年生　**情報提供：**ピップ・バンク＝スミス、フィリッパ・クライモ、ピーター・イリングワース、リン・マリー、エミリー・ロバーツ（ワイメア・ハイツ小学校）

チョコレートは
苦いこともある

　　リビングストン小学校では、生徒は世界
経済がいつでも好ましいものであるとは限ら
ないことを学んだ。シミュレーション、インタ
ーネットでの情報収集、クラスでの討論、オック
スファムなどからの特別講演者の訪問などを通じて、
生徒たちはチョコレート産業において、公正取引慣行・自由貿易慣行とそれらが労働
者に与える影響に関する問題を調査した。厳しい現実を知ったとき、子どもたちは行
動を起こすことに決めた。

　　選んだ企業について徹底的に調査した後、生徒たちは手紙を——率直な言葉で書い
て——送ることにした。ある生徒は「広く名を知られた御社の事業が、公正取引慣行
に従っていないことを知ってショックを受けました」という意見を突きつけた。別の
生徒は「バングラデシュとアフリカの人々が、ひどい経験をたくさんしていることに
ぞっとしました。やめさせなければいけません！」と非難した。また別の生徒は「御
社が仕入れているフェアトレード製品がたったの11品目であるのは、まったくもっ
て不十分です！」と厳しい言葉を投げかけた。こうした強い怒りを発しているのは12
歳の子どもたちである！　ところで、彼らは何を学んでいるのだろうか？

　　生徒たちは学習を振り返って、こうした真正の課題が彼らの全般的な関与を拡大さ
せ、コミュニケーションとクリティカルシンキングのスキルも伸長させたことを伝え
合った。ある生徒は「私の場合、HookEDのSOLOマップスが役に立ちました。どこ
で情報を見落としているかがわかるんです。……どんな言葉で手紙を書くのか考える
のは難しかったですが、最後には満足のいくように書けました」と話した。別の生徒
は、「他に私が難しいと思ったのは、信頼できるウェブサイトを見つけだすことでし
た。だって、どのチョコレートメーカーのウェブサイトも、いい印象を与えたくて、
公正な取引にするための目標を定めていると謳っているけれど、実際には十分な取り
組みをしていなかったんですから」と振り返った。他の生徒たちは仲間からのサポー
トを評価し、学習プロセスがコラボレーションに支えられていることを理解した。

　　ディープラーニングを実践している教室では、チョコレートによって、6Cs ——シ
ティズンシップ、キャラクター、コミュニケーション、クリティカルシンキング、ク
リエイティビティ、コラボレーション——が育まれるのだ！

情報提供：ジェシカ・モーガン、アリー・コール、ケイレブ・ウェブ、ジェシカ・バーク、
ザハラ・フォート、アリシア・ウォールワーク、クレア・マッカビン、ライアン・フォート
（リビングストン小学校）

「バングラデシュとアフリ
カの人々が、ひどい経験
をたくさんしていること
にぞっとしました。やめ
させなければいけませ
ん！」　　　　　（生徒）

「私の学習で重要なパー
トナーだったのは私の仲
間です。……主張につい
て掘り下げて考えさせて
くれたので、公正取引に
ついて手紙を書くときに
役立ちました」　（生徒）

5～6年生

ひとりで
できることは少ないが、
一緒なら
もっとたくさんのことができる。

—— ヘレン・ケラー

協働の重要性：探究が実践を転換する

協働と能力を育む

　ディープラーニングを活性化するすべての条件のうち、中心となるのは協働（コラボレーション）である。協働そのものは目的ではない（人々は怠ける場合でも、悪いことをする場合でも、協働することがある）。ディープラーニングにはイノベーションと高度に集中した具体的で新しい実践が不可欠であるため、優れたアイデアを考案し評価する手段が必要である。教師が新しい教育法の利用に迅速に移行しようとするなら、自分のレパートリーのなかから有効な実践を特定したうえで、新しい考え方とイノベーティブな実践を推進するために、他者と一緒に取り組むことによって支援を得る必要がある。高等学校でのディープラーニングに関する最近の研究で、ジャル・メータ（Mehta, 2016）は次のように述べている。

> 21世紀型スキルとディーパーラーニングについて声高に語られているのを聞けば、この種の教授と学習の実践が例外ではなく標準である時代に移行したのだと思うかもしれない。だが、それは事実とは大きくかけ離れている。いつの日かより大きなシステムがディープラーニングを奨励し、支援するよう組織化された世界に移行してほしいと願うことはできるが、私たちが今暮らしているのはそうした世界ではない。つまり、すべての生徒を対象に、ディーパーラーニングを促すよう教授することは、破壊的でカウンターカルチャー的な行為なのである。

　外れ値のような飛び抜けた教師、すなわちシステムを超越して卓越性をスポット的に創出できる先駆者は、いつの世にも存在するだろう。しかし、私たちが関心を持っているのは、どのように後押しすれば、多数の教師が、最終的には学校や学区のすべての教師が、ディープラーニングを促す新しい教育法に取り組むようになるかということである。個々の教師がひとつずつ状況を変えていくのをあてにすることはできない。必要なのは、すべての学校、学区、システムに実践の再考を促し、振り返りと行動計画のためのモデルを提供するアプローチである。

　ディープラーニングの的確性の確立を目指す学校は、教育者と生徒のために**「学習文化」**を醸成することから始めている。教師とリーダーがディープな思考をしていなければ、生徒のためにディープラーニングの条件を整えられる見

個々の教師がひとつずつ状況を変えていくのをあてにすることはできない。必要なのは、すべての学校、学区、システムに実践の再考を促し、振り返りと行動計画のためのモデルを提供するアプローチである。

教師とリーダーがディープな思考をしていなければ、生徒のためにディープラーニングの条件を整えられる見込みはない。

込みはない。学習文化を醸成し、新しい教育法にきわめて迅速に適応している学校や学区は、幅広い戦略を用いて能力を構築している。

学習文化を醸成するための戦略

- 実践の透明性を大事にする規範と関係性を確立する。
- 研究に基づいた教育法のレパートリーを用いるために共通の言語とスキルを構築する。
- イノベーティブな実践を特定して共有するための意図的な仕組みを考案する。
- フィードバックとサポートによって、教師が新しい実践を用いる能力——知識とスキル——を構築する機会を継続的に提供する。

能力構築とは何か？

私たちは10年前から「能力構築」という言葉を使って、教室、学校、システムにおける本質的で永続的な変革を引き起こすには、専門職学習をはるかに超えるものが必要であることを説明してきた。「能力（capacity）」とは、価値ある何かを実現するために、個人や集団が獲得しなければならないスキルとコンピテンシーのことを指す。それゆえ、システム全体の変革の促進と持続を成り立たせるのは、「集団的能力」と「能力構築」である。

集団的能力：結果の改善に必要な変革を引き起こすために高められた、システムのあらゆるレベルにおける教育者の能力。

能力構築：結果の改善を実現するために、個人と組織の知識・スキル・関与を育むプロセス。

能力構築のための４領域

1. **変革リーダーシップ**——多様なグループに共通の視点、戦略、関与を確立する。
2. **協働（コラボレーション）**——取り組みから学ぶ学習の文化と関係性を育む。
3. **教育法**——すべての人のために学習を深めるような教育実践の的確性を高める。
4. **評価**——エビデンスを特定し、進捗状況をモニタリングし、影響を測定するスキルを広げる。

とはいえ、能力構築は幅の広い語であるため、学校と学区は出発点を決定し、能力構築の取り組みの内容を正確に確認することが欠かせない。「一貫性フレームワーク」の4要素は、継続的な改善とイノベーションを重視するあらゆる組織において、育成すべき一連のスキルと知識を特定するための枠組みを提供することができる。

学習・教授プロセスの変革に必要なのは、学習文化を醸成しながら、新しいスキル・知識・態度の獲得と実践を促す、持続的で多面的な能力構築のアプローチである。ディープラーニングの取り組みでは、能力構築の機会はすべてのレベル——教室、学校、学区・クラスター、グローバル——で奨励されており、以下のようなものがある。

- ディープラーニングをデザインし測定するための一連のツールとプロセスに関する知識と理解の共有。

- ディープラーニングの各側面について、浸りきる数日間の研修会、および、地域的・世界的に実践者や専門家が集まって専門知を共有し、新しい知識を確立するためのグローバルなディープラーニング・ラボ。

- コミュニケーション、コラボレーション、データ収集のプラットフォームであるディープラーニング・ハブに記録されている、教師が作り出したディープラーニング経験の資料と実例。

こうした種々のアクセスと広範な支援は、多様なニーズを満たすようデザインされている。すべてのアプローチの重要な特徴は、協働学習を活用することで新しい実践の学習を拡大・加速させることである。これまでの章では、ディープラーニングの心臓部であるグローバル・コンピテンシーについて概説し、それらの育成を促す4要素について説明してきた。本章では、ひとつの強力なプロセスである「協働探究」に焦点を絞る。これは、ディープラーニングのための包括的な能力構築アプローチの一部である。協働探究は、教師と学校と学区が、学習に関する現在のモデルと実践と前提を検討し、さらにディープラーニングの成功を支える条件を作り出すようにシステムをデザインするうえで有用である。協働探究は「ディープラーニングのための新しい教育法（New Pedagogies for Deep Learning, NPDL）」のあらゆるレベルで利用されているが、本章では、学校や教室での学習デザインと評価プロセスの改善において、協働探究が果たす強力な役割に焦点化する（図表7.1参照）。

図表7.1　学習デザインを支える協働探究

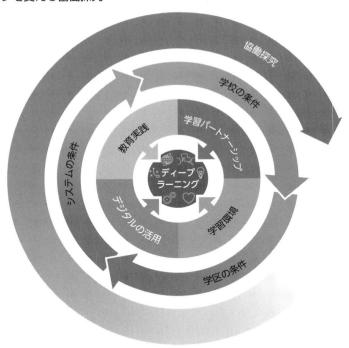

協働探究プロセス

協働探究とは何か？ なぜ重要なのか？

協働探究とは、教育者の職業上の疑問や不明点を、同僚とやりとりしながら既存の実践や前提を検討することによって探るプロセスのことである。このプロセスは教師の専門職学習を促進すると同時に、生徒の学習の改善にも直接寄与するため、有力な変革戦略として注目されている（Comber, 2013; Ontario Ministry of Education, 2014b; Timperley, 2011）。協働探究は問題を解決して個々の実践を改良する手段であるだけでなく、生徒の学習に関するエビデンスを用いて、協働的な学校チームを確立し、応用可能な共通の専門的知識を育むためのシステムアプローチでもある。つまるところは、生徒と生徒の学習が協働探究の対象なのだが、このプロセスにおいて生徒がパートナーとしての役割を担っているのをますます多く目にするようになっている。協働探究プロセスに生徒が参加するにつれて、探究分野の特定がなされ、学習に関するエビデンスが明らかになり、学習の評価が進むようになる。つまり、生徒自身が自分の学習経験のエキスパートになっていくのである。このように、協働探究は能力構築の強力で実践的な形態であり、それによって大人にもたらされるディープ

ラーニングのモデルと経験には、私たちが望んでいるような、生徒への対応が反映される。このプロセスに関与することで、新しい学習を積極的に受け入れる姿勢が生まれ、教育者は協力して専門職学習の焦点を絞ることができるようになる。

　NPDLは連続した協働プロセスによって、教師と生徒がディープラーニング経験を形成することだけでなく、学習の進捗状況を評価して将来の学習経験に寄与する手段を提供することも支援する。

　図表7.2は修正された協働探究プロセスであり、シンプルな4段階で成り立っている（Deming Institute, n.d.）。

図表7.2　協働探究プロセス

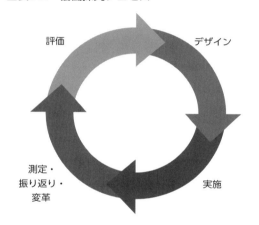

評価：現在の強みとニーズ

デザイン：変革に向けた戦略

実施：形成的評価のデータを利用
　　　したモニタリングと調整の
　　　ための戦略

測定・振り返り・変革：
　　　成功を評価し次のステップに
　　　情報提供するための、進捗状
　　　況を示すエビデンスの活用

出典：New Pedagogies for Deep Learning ™ （NPDL）. Retrieved from www.npdl.global/Deep Learning Hub.

　この修正された協働探究プロセスは、次の2つの形で、NPDLパートナーシップにおいて実践の重要な転換を支えている。

1. **学習デザイン**──学習経験の協働デザイン

2. **モデレーション**──ディープラーニングを促すために、生徒の成長を評価し、学習デザインの質を評価する協働プロセス

協働学習デザイン

　ディープラーニングのデザインへの着手が加速するのは、教師が学校内および学校間で協働している場合であり、かつプロトコル（手順や手引き）、実例、協力するためのプロセスを持っている場合である。共通の目標を持つ相手と直

接会って、またはインターネットを介してつながることで、問題を解決して新しい行動を貫く後押しになる。このように共同でディープラーニングに焦点を絞り、実践を意図的に共有することで、取り組んでいるのは1人ではないという教師の集団的な認識と理解につなげることができる。

　ディープラーニング経験をデザインするための協働プロセスは、4段階からなる。

ディープラーニング経験を協働でデザインする

第1段階：評価

　第1段階ではまず、生徒の現状を評価し、カリキュラムを考慮し、生徒の関心に基づいて学習目標と成功基準を設ける。「学習目標」は生徒のニーズ、強み、関心に加えて、6つのグローバル・コンピテンシーの習熟度を評価したうえで設定する。「成功基準」を明確にするのは、学習目標が達成されたことを証明するエビデンスを報告するためである。理解とスキルの発達の程度を評価するのに、複数の手法を用いた評価が利用される。

第2段階：デザイン

　第2段階では、学習目標と成功基準を満たすために、生徒をコンピテンシーの獲得に参加させる学習経験をデザインすることが求められる。このステップには最も有効な教育法の選定、必要な学習パートナーシップの考慮、学習文化を育む環境の整備、学習を強化するデジタルの利用などが含まれる。こうした学習デザインに協働で取り組むことによりイノベーションが加速するが、それは教師が他の教師や生徒自身のアイデアから刺激を受けるからである。初めのうちは時間がかかるが、教師たちはプロトコルを用いることがデザインに注力するのに役立つと気づく。最初のデザインをいくつか経た後では、互いの専門知を足場にしながら、いっそうイノベーティブになり、さらにはデザインに関わる作業負荷を分担することで時間の節約につなげるようになる。

第3段階：実施

　学習経験のなかで教師は、学習を観察し、必要に応じて足場作りをし、質問を投げかけ、「生徒がどの程度よく学べているのか？」「どのような学習のエビデンスがあるのか？」「生徒が学習を深めるためには次に何が必要か？」といったことを考えながら、より深い発見を得てゆく。第3段階においては、教師は互いの教室を見学したり、特定の課題や関心に応じてクラスの境界を越えてグループ分けすることで、生徒に対する責任を共有してもよい。生徒はピア評価と自己評価のスキルを育む。生徒は学習を主導し始めることさえある。ある

教師は「生徒に学習を主導させることに不安を感じていましたが、今では生徒のために真正の学習を作る最も有益な方法のひとつだと考えています。なぜなら、そうすることで生徒は当事者性を発揮しながら、学習し、表現し、教え合い、自分の意見やアイデアを生み出す新しい方法を考案できるからです」と述べている。

第4段階：測定・振り返り・変革

　プロセスの最終段階では、教師は協働して生徒の学習を記録する。教師は生徒の成果物とパフォーマンスから得られるフォーマルな評価とインフォーマルな評価のエビデンスを幅広く考慮して、学習内容とコンピテンシーの面での成長を測定することで、判断にあたっての情報を得ることができる。同時に、生徒のデータは次の学習サイクルに生かされ、次の学習デザインの豊かな情報源となる。

　協働探究のスキルが身につくにつれて、このプロセスを通常の仕事と切り離されたものではなく、仕事について考えるひとつの方法であるとみなすようになる。学習デザインを学年チーム、部署、学校で共有し、さらには世界的に共有することにより、何が可能なのかを鮮明に眺めることができる。教師はこうした「学習経験の実例」を、模倣すべきものではなく、自分たちの生徒の学習をどのように深めるのか考えるための触媒とみなすようになる。

　グローバルパートナーシップの刺激的な発展のひとつに、グローバルチャレンジの考案がある。多様な学習者の関心を引く問題や探究を課して、さまざまな国の教師や学校の参加を求めるのである。生徒は同じ期間に成果物や成果を生み出す。デジタルプラットフォームを利用してアイデアを創造し磨きをかける。共通の課題を解決するという創造的なプロセスは、国ごとに異なる観点や状況を考慮しながら、有意味な対話を引き起こし、知識を深め、クリティカルシンキングを促す。図表7.3に示した、最近の「ディープラーニング・タスク：国連・子どもの権利」のためのデザインプロンプトを見ていただきたい。

　世界中の生徒と教師がこのチャレンジに取り組み、2017年5月に400人の教師とリーダーを対象にディープラーニング・ラボが開催され、期間中はそれぞれの取り組みがツイッターで共有された。この教師とリーダーと生徒のつながりはすばらしい。ディープラーニングという言葉が国境を越えて、生徒と教師がインターネット上で、または直接集まって、影響力のある深い対話をすることができる。プラスの波及効果が生じて、アイデアをすさまじい勢いで広げる後押しをしている。次の数ページでは、図表7.3に続いて、ツイッターに投稿された生徒の成果物をいくつか紹介する。そこでは他者を思いやる熱い心の現れをみることができる。

図表7.3［1/2］　グローバルチャレンジ：国連・子どもの権利（カナダ）

グローバル・ディープラーニング・タスク：国連・子どもの権利
#NPDLchildrights

タスクの目標と説明：
あなたの国／学区のリーダーシップチームのメンバーが、5月1〜3日にトロントで開催されるディープラーニング・ラボに参加している間、あなたやあなたが教えている学習者はグローバル・ディープラーニング・タスクに参加してください。学習者や会議参加者は、生徒に関連がある世界的なテーマについて、オンライン協働対話に参加することができます。

重要な考え： 私たちが暮らすのは相互につながり、つねに変化する複雑なグローバル社会です。私たちは、その社会が国連によって定められた不可侵の「子どもの権利」に準拠することを願っています。

学習者／生徒へのプロンプト：
自分の知識と経験を基に、あなたが世界の若者の安全と成長と発達にとって最も重要だと考える権利（ひとつまたは複数）を選びましょう。その権利に対するあなたの理解と、その権利が確実にあなたの町／市／国または世界で認められ、支持されるようにするための行動計画を伝える準備をしましょう。

プラットフォーム：
グローバルNPDLツイッターチャットが5月1日午前8時（トロントの東部標準時）に始まり、参加国の時間帯にあわせて3日間続きます。参加者はツイッターにハッシュタグ「#NPDLchildrights」を付けて投稿します。ツイートには生徒によるビデオ、ウェブサイト、ブログ記事、計画、作品、イラスト、議論などへのリンクを含めますが、それらに限定されません。

教育者／学習者／生徒への指示：
開催前（5月1日までに）：
　・教育者は学習者がツイッターチャットを始める前に、次のドキュメントを必要に応じて閲覧しておく。
　　　○https://www.unicef.org/rightsite/files/uncrcchilldfriendlyLanguage.pdf
　　　○http://www.youthforhumanrights.org
　　　○絵本／イラストへのリンク：https://www.unicef.org/rightsite/files/rightsforeverychild.pdf
　　　○https://www.unicef.org/rightsite/files/Frindererklarfr(1).pdf（子ども向けフランス語）
　・学習者は最も利用しやすい／関連する／適切な国連・子どもの権利について理解を進めて、そうした権利のための行動計画を作成する。
　・学習者はディープラーニング・ラボの期間中に、#NPDLchildrightsを付けてライブのツイッターチャットでシェアできるように、実行可能な行動計画を作成する。ツイートには生徒によるビデオ、ウェブサイト、ブログ記事、計画、作品、イラスト、議論などへのリンクを含めるが、それらに限定されない。

開催期間中（5月1〜3日）：
　・AMDSB NPDL Leadsが、世界各地のクラスターに属するNPDLの学習者とのツイッターでのライブ対話の司会を務める。学習者はそれぞれのアイデアや行動計画について、#NPDLchildrightsを付けてツイートすることで、意見や行動計画を互いに共有したり、議論したりする。
　・ツイッターでのライブチャットの間、参加者は#NPDLchildrightsの付いたツイッターにつぶやくことで、他の参加者の投稿や学習に対して質問したり、異議を唱えたり、賞賛したりすることができる。
　・トロントでのディープラーニング・ラボの参加者は、ディープラーニング・ラボの進行に合わせて、#NPDLchildrightsを付けてツイッターでのライブ対話に投稿することが推奨される。
　・重要な考え／関連テーマがディープラーニング・ラボで考案される予定である。
　・参加者は最初のツイートに出身国・学校・学年を記載することが推奨される。

図表7.3［2/2］　グローバルチャレンジ：国連・子どもの権利（カナダ）

> **トロントでのディープラーニング・ラボの後：**
> ・対話の後、参加者は自分たちの行動計画に関して少なくともひとつの行動を完遂し、＃NPDLchildrightsを付けて世界中から引き続き投稿されるツイッターでのチャットで、他の学習者と協働を続けることが推奨される。
>
> **NPDLプログレッション／側面との関連性：**
>
> | クリティカルシンキング | コミュニケーション | コラボレーション | クリエイティビティ | キャラクター | シティズンシップ |
> |---|---|---|---|---|---|
> | 協働での知識の構築 | デジタルの活用 | 社会的スキル、情動的スキル、異文化間スキル | 新しいアイデアと解決策の考察と推進 | 学習に対する自己調整と責任感 | 市民のためになるよう現実世界の曖昧で複雑な問題を解決 |
>
> | **教育実践** | **学習環境** |
> |---|---|
> | □すべての生徒の関心とニーズに基づきタスクをデザインする
□学習を個性化する
□生徒の選択をタスクに盛り込む
□協働する機会が途切れない
□真正の課題（現実世界の問題や現実的な疑問に基づいている）
□デジタルを活用する革新的な戦略
□明確な学習目標
□明確な成功基準 | □タスクに生徒の意見を取り入れる
□タスクには目的のある学習パートナーシップを伴う
□タスクはすべての生徒の関心とニーズを考慮に入れている
□学習はインタラクティブである
□学習環境は真正である
□学習環境にはインターネットの利用を伴う |
> | **学習パートナーシップ** | **デジタルの活用** |
> | □タスクには目的のある学習パートナーシップを伴う
□タスクではパートナー間の公平性が確保されている
□すべてのパートナーにとって明確で透明性のある学習目標
□すべてのパートナーにとって明確で透明性のある成功基準 | □デジタルによって効率的で有意味な協働を可能にする
□デジタルを利用して新しい知識を共有する
□タスクにはデジタルの利用を伴う |
>
> 出典：カナダ・オンタリオ州エイボン・メイトランド学区がデザイン（2017年4月）。エイボン・メイトランド学区教育委員会のスタッフに感謝します。

2人の生徒が児童労働について #npdlchildrights で投稿するために天井タイルに作成したスケッチノート

クラブ活動に参加し、他の子どもと友達になる
ための子どもの権利を擁護するインフォグラフ
ィック。
#npdlchildrights

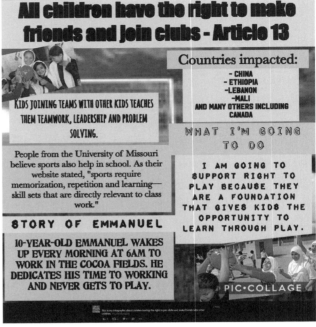

第7章

私の行動計画は、私の支持する国会議員に連絡を
取り、子どもの誘拐防止を支援するよう訴えるこ
とです。

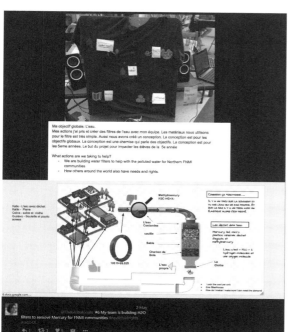

私のチームは、FNMI（ファースト・ネーションズ・メティス・イヌイット）のコミュニティのために、水銀を除去する水濾過装置を作っています。
#npdlchildrights
@ocdsb
@TheGlobalGoals

児童は家族から引き離されるべきではありません。
#npdlchildrights

マディソンとミランダ、あなた
たちには名前を持つ権利があり
ます。国籍を持つ権利がありま
す。
#npdlchildrights
@scdsb

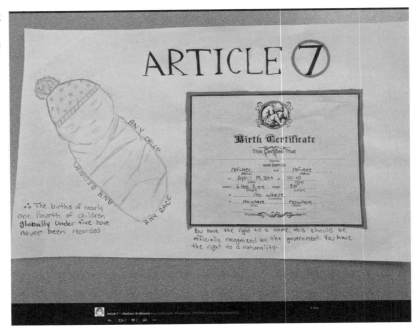

アイデンティティを持つことは、
すべての子どもの権利です。
#npdlchildrights
#kirkkonumumi
#veikkolankoulu
at Kirkkonummi, Suomi.

　教師と生徒はディープラーニングのコンピテンシーを用いて、今回のグローバルチャレンジのようなディープラーニング経験のデザインを支える。さらに教師は、私たちが「イグゼンプラー」と呼ぶ模範例で学習デザインと生徒の取り組みの例を共有する。こうした例は、共通の言語と理解が取り組みの手引きとなり、いっそう多くのディープラーニングを創り出す触媒として作用するにつれて、ますますその豊かさを示す。第5章と第6章で考察した学習デザインの4要素は、新しいパートナーシップ、教育法、デジタルを活用して学習を加速し拡大する環境を教師が創り出す手引きとなる。探究の次の段階は、学習デザインの結果を協働で検討し、そのモデレーションのプロセスを行いながら、次のステップに向けて決定を下すことである。

協働評価

　協働探究プロセスの第4段階——「測定・振り返り・変革」——は、非常に強い影響力を持ちうるものの、日々の実践では最もなおざりにされがちである。協働する時間は乏しく、学習の質を深く検討するよりも、評点をつけるほうが手っ取り早い。おまけに有意味で専門的な対話にはスキルと知識が必要である。しかし、生徒の成果物とパフォーマンスの協働評価（私たちは「モデレーション」と呼ぶ）のプロセスは、生徒が何を学んできたのかについて、より深い理解をもたらし、進捗状況についてより一貫性のある判断をするための専門的な信頼性と妥当性を構築すると、私たちは考えている。このプロセスのエネルギーは、学習に関する専門的な議論と、学習の次の段階に備える有効な戦略の共有にある。こうした専門的な議論は新しい知識を生み出し、実践を練り上げるための触媒となる。要するに、モデレーションとは教育実践を検討し改善するためのひとつの戦略なのである。

　NPDLでは、モデレーションのプロセスを用いて、教師、その他の学校リーダー、パートナーシップのあらゆるレベルにあるNPDLリーダーシップチームを、ディープラーニングのデザイン・実施・測定・成果をめぐる専門的な対話に関与させてきた。教師は選択したディープラーニング経験をデザインし、実施し、評価し、振り返った後、集まって事例を共有する機会を持つ。「ディープラーニング・イグゼンプラー」は学習のデザイン・実施・評価・成果の事例であり、ディープラーニングがどのように展開するのか、どのように実践されているのかを示す。その目的は、ディープラーニング——そのデザイン、成果、すべての学習者のために6Csを最も効果的に育む新しい教育法——に関して、共通の言語と理解を考案することである。このモデレーションのプロセスを用いることで、教師とリーダーに、自分たちの地域の状況において活用できるディープラーニングの事例を提供することができる。

> このプロセスのエネルギーは、学習に関する専門的な議論と、学習の次の段階に備える有効な戦略の共有にある。

モデレーションは次の3つのレベルで行われる。

● **学校**──教師がディープラーニング・イグゼンプラーを発表し合った後、参加者は専門的な対話（モデレーション）に加わり、実例がどの程度ディープラーニングを実証し、促しているのかを議論する。

● **クラスター**──学校が最も優れた事例を選んで、クラスターや学区のチームと共有すると、次にクラスターと学校のリーダーは教師と一緒に同様のモデレーションプロセスに参加して、クラスターや学区で経験された最も豊かなディープラーニングの事例を選ぶ。続いてこうした実例を、グローバルレベルでのモデレーション（さらなる協働評価）のために提出する。

● **グローバル**──グローバルレベルでのモデレーションは、複数週に及ぶプロセスから成り立っており、各国のリーダーや教師のグループが、新しい教育法やディープラーニングに関する議論に参加し、提出されたディープラーニング経験について考察する。このプロセスの結果、グローバルレベルでモデレーションを受けたイグゼンプラーが選ばれ、NPDLパートナーのなかで、さらにはもっと広い教育コミュニティに対して共有される。グローバルレベルでのモデレーションについては第9章でさらに詳しく取り上げる。

学校での代表的なプロセスについて考察しよう

　信頼と透明性の文化の醸成は、モデレーションの成功に不可欠である。モデレーションの成功には強固なプロトコル、教師・リーダー間の優れた学習パートナーシップ、学習文化の発展が必要である。信頼と透明性の文化を構築するひとつの方法は、共通の規範を確立することである。次に示す4つの規範は、NPDLに参加する学校が協働探究とモデレーションプロセスの利用を開始し、支援し、加速させるのに役立ってきた。

協働（コラボレーション）を加速させるための４つの規範

1. 教師はその時点で最良の考えを提供したとみなす。
2. この事例のなかで、タスクやその背後にある考えのすべてが十分に共有できるわけではないと考える。
3. じっくりと判断する。このタスクの前に教室で起きたことやこのタスクの後に起きることのすべてが十分にわかるわけではないと認識する。
4. 私たちはみな学習する姿勢を身につける必要がある。

　同僚がモデレーション（検討）することになるディープラーニング経験は、教師が選択する。教師は学習目標、成功基準、対象にしたコンピテンシー、利用した新しい教育法について概説を提供する。その4要素を用いて学習デザインを説明し、選んだ教育実践、学習パートナーシップのタイプとそれをどのようにして育んだか、教室の内外で利用した学習環境、および学習を促進・拡大するためにデジタルをどう活用してきたかを明確にする。生徒の成果のサンプルや、学習経験のなかで生徒の進捗状況の評価に用いた手法の組み合わせなども含まれる。こうしたことは、学年レベルのチームで、高等学校の学科で、あるいは職業上の経験による縦割りや混成のチームによって実施するとよい。

　行動規範を確立するためのプロトコルを使用することで、議論を導き、時間をできるだけ有効に利用することができる。「積極的な行動のプロンプト」と「話し始めのプロンプト」を提供すると、共有が広がりいっそう積極的な参加を引き出すことができる（図表7.4参照）。これは人々が共有への信頼を築こうとしているときは特に重要である。

図表7.4　協働評価（モデレーション）のためのプロトコル

積極的な行動のプロンプト	話し始めのプロンプト
● 問題を提起して自分の意見を表明し考えを広げるとともに、他者の意見を確認する ● 他の参加者が熟考したうえで答えられるように時間を取る ● 途中で考えを修正できるとしたうえで、アイデアや推論、関連性のある事実を共有する ● 学習に関する具体的な参考資料を提示して、自分の意見を裏付ける ● データと解釈を区別する ● グループメンバーや取り組みを共有している教師のポジティブな意図を前提とする	「得られているエビデンスは……」 「私が気づいたのは……ということであり、……であるように思われました」 「このことから得られた認識は……」 「現在もっと多くのエビデンスを得ようとしているのは……」 「場合によっては別の見方が可能であり……」 「私が考察している仮説は……」 「もう一歩踏み込んでみると……」 「このような考えに至ったのは……を検討したことによります」 「この例から私が不思議に思ったのは……」 「……について検討した際に考えさせられたのは……」 (Gardner, NPDL presentation, 2017)

出典：Adapted from Gardner, M.（2016）. Retrieved from www.npdl.global/Deep Learning Hub.

　参加者は「積極的な行動のプロンプト」を利用して、次の4つのステップからなる検討作業を進める。

ステップ1：参加者全員が学習デザインと生徒の成果を独自に検討し、生徒の進捗状況と学習デザインの質の両方を評価するためのツールとルーブリックを用いて、6Csの獲得がどの程度促されたかを評価する。

ステップ2：参加者は学習デザインと、生徒のワークのサンプルとルーブリックに示されている複数のエビデンスについて議論する。グループとして、どの時点で学習デザインの4要素（学習パートナーシップ、学習環境、デジタルの活用、教育実践）を共同で評価するのか、また生徒の進捗状況をどのように評価するかについて、合意を形成する。

ステップ3：教師は進捗状況を測定するために生徒のワークを協働評価するにつれて、そうしたデータを、生徒の学習の次のステップに情報を与えるために利用し始める。

ステップ4：教師は生徒の進捗状況をこれまでよりも深く検討するので、仮に学習経験が別の形でデザインされていたなら、生徒がもっと成長できたであろうということに気づくようになる。

　こうして専門的で深い対話から生じる教育法の的確性が高まることで、教師の自信が確立され、あらゆる生徒の適切なニーズを満たす、よりイノベーティブな実践につながる。生徒のためのディープラーニングに寄与するのと同じ要素が、大人にも欠かせないのである。

学習の再デザイン

　教師は学習デザインと生徒の進捗状況を協働で検討することで、生徒がどのように学習するのか、そしてデザインに関する決定がその学習にどのような影響をもたらしうるのかをより深く理解する。こうした洞察は実践の変革に大きな影響を与えており、協働探究サイクルの最終段階──「測定・振り返り・変革」──をさらに発展させたものとして、「学習再デザインプロセス」のためのプロトコルを考案することにつながった。学習の再デザインは有効な能力構築アプローチになっているが、それは教師が日ごとに実践に明るくなるにつれて、生徒の進捗状況に影響を与えると考えられる学習デザインの新たな改善方法がみえてくるからである。その効果は、オーストラリアのクラスターの経験で実証されている。

　NPDLの行程の初期に、オーストラリア・ビクトリア州のウーランナ・パーク小学校は、初となるディープラーニングの単元を設けて、これを「エニグマ・ミッション（Enigma Mission）」と名づけた。6つのコンピテンシーを土台として利用し、学習目標と成功基準を設定して、10〜11歳の生徒に探究モデルを用いて夢中になれるプロジェクトを追求するよう促した。同校は生徒の経

験をビデオに記録し、生徒が古生物学からDNAまで多様な分野を調べたことに注目した。集中して参加している生徒の様子、生徒の声や選択、明確に表現された目標、探究の深さは、NPDLのウェブサイト（www.npdl.global）のビデオ7.1「ウーランナ・パーク小学校のエニグマ・ミッション（Enigma Mission Wooranna Park Primary School）」に、はっきりとみてとれる。このプロセスの最終段階は、生徒の取り組みと進捗状況を協働で評価することであった。

第7章

> ## ウーランナ・パーク小学校によるエニグマ・ミッションの再デザイン
>
> 　教師たちは、ディープラーニング経験を提供することで、すべての生徒が探究を選ぶための豊かな土台を与えられることが必要だと確認した。
>
> 1. 教師たちはカリキュラムに関連する読み書きの基礎から始めた。生徒は『ハンガー・ゲーム（*The Hunger Games*）』や『わたしはマララ（*I Am Malala*）』など、思考を刺激する小説から選ぶことができた。どの小説も、コラボレーションのコンピテンシーの一部である相互依存という包括的テーマに関連したものである。ライブフォーラム、シンポジウム、小グループでのソクラテス式対話など、多様な教育実践を利用して生徒の思考を深めた。
>
> 2. 次に教師たちはすべてのテキストに関係する5つのテーマ、すなわち人種差別、貧困、変革に影響を与える行政機構、奴隷制度、変化を引き起こす人々について調べることで、学習を深めた。ここでも、プロボケーション［訳注：子どもの想像力や能力を刺激するような環境をつくること］、イマージョンビデオ、エクスカーション、ディスカッションなど、多様な教育実践を計画的に利用した。
>
> 3. 生徒はつながりを作りながら、多様な視点について調べるよう支援を受けた。
>
> 4. 続いてこの段階では、生徒は自分自身のエニグマ・ミッションと探究課題、ミッションの実行に使える手法を考案した。この段階に進む前に、生徒の思考と選択肢を広げる広範な学習経験を実施した。教師はここでも、ピアレビュー、生徒主体のポートフォリオ、全校的なフィードバック、外部パネルへのプレゼンテーションなど、多様な教育実践を利用した。
>
> 5. 最終段階では行動に移る。生徒はエニグマ・ミッションで調べたことを活かして、結論を現実世界で行動に移す方法を考案した。そうした行動は、地元の無料食堂でのボランティアから、アフガン移民を対象にした英語レッスンの実施、難民問題への意識向上を図る映画の制作まで幅広く行われた。

　当初、教師たちは生徒の情熱、当事者性、自主性、臨機応変さに感銘を受けていた。だが、生徒の取り組みを検討し始めると、選択肢を与えてエニグマ・ミッションを選ばせた場合、ほとんどの生徒が優れた成果を上げたものの、すべての生徒が同程度の成果を上げたわけではないことに気づいた。そうした結

第7章

図表7.5　ウーランガ・パーク小学校による再デザイン：測定・振り返り・変革

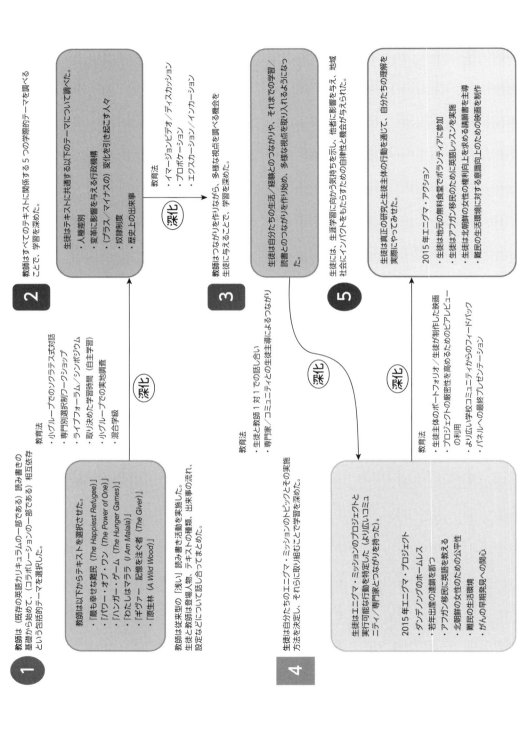

1　教師は〔既存の英語科カリキュラムの一部である〕読み書きの基礎から始めて、〔コラボレーションの一部である〕相互依存という包括的なテーマを選択した。

教育法
- 小グループでのソクラテス式対話
- 専門別選択制ワークショップ
- 取り決めた学習時間（自主学習）
- 小グループでの実地調査
- 混合学級

教師は以下からテキストを選択させた。
- 『最も幸せな難民 (The Happiest Refugee)』
- 『パワー・オブ・ワン (The Power of One)』
- 『ハンガー・ゲーム (The Hunger Games)』
- 『わたしはマララ (I Am Malala)』
- 『ギヴァー　記憶を注ぐ者 (The Giver)』
- 『原生林 (A Wild Wood)』

教師は従来型の〔深い〕読み書きを実施した。生徒と教師はテキストに登場し人物、テキストの種類、出来事の流れ、設定などについて話し合ってまとめた。

2　教師はすべてのテキストに関係する5つの学際的なテーマを調べることで、学習を深めた。

生徒はテキストに共通する以下のテーマについて調べた。
- 人種差別
- 変革に影響を与える行政機構
- （プラス／マイナスの）変化を引き起こす人々
- 奴隷制度
- 歴史上の出来事

教育法
- イマージョンビデオ／ディスカッション
- エクスポジション
- エクスカーション／インカーション

教師はつながりを作りながら、生徒にも視点を与えることで、学習を深めた。

3　生徒は自分たちの生活／経験とのつながりや、それまでの学習／読書とのつながりを作り始め、多様な視点を取り入れるようになった。

教育法
- 生徒と教師　1対1での話し合い
- 専門家／コミュニティとの生徒主導によるつながり

4　生徒は自分たちのエナジャー・ミッションのトピックとその実施方法を決定し、それらに取り組むことで学習を深めた。

生徒は自分たちのエナジャー・ミッションのプロジェクトと実行可能な行動を特定した（より広いコミュニティ／専門家とつながりを持った）。

2015年エナジャー・プロジェクト
- ダンシングのホームレス
- 若年出産の連鎖を断つ
- アフリカ移民に英語を教える
- 北朝鮮の女性のための公平性
- 難民の生活環境
- がんの早期発見への関心

5　生徒は、生涯学習に向かう気持ちを示し、他者に影響を与え、地域社会にインパクトをもたらすための自律性が与えられた。

生徒は真正の研究と生徒主体の行動を通じて、自分たちの理解を実際にやってみせた。

2015年エナジャー・アクション
- 生徒は地元の無料食堂でボランティアに参加
- 生徒はアフリカ移民のために英語レッスンを実施
- 生徒は北朝鮮の女性の権利向上を求める請願書を主導
- 難民の生活環境に対する意識向上のための映画を制作

教育法
- 生徒主体のポートフォリオ／生徒が制作した映画の利用
- プロジェクトの厳密性を高めるためのピアレビュー
- より広い学校コミュニティからのフィードバック
- パネルへの最終プレゼンテーション

深化

情報提供：ビクトリア州（教育訓練省）ウーランガ・パーク小学校。教師のジェニー・バイン、パーク小学校。教頭のジェニー・バイン、5～6年生担当教師のアネッタ・クイント、2015年に5～6年生を担当した職員、校長のロイ・トロッター、2015年に5～6年生であった生徒とその学校関係者・保護者・コミュニティパートナーに感謝します。

果について掘り下げて分析すると、あまり成果を上げられなかった生徒は、他の生徒ほど探究課題をおもしろく感じていなかったことが判明した。さらに分析を進めたところ、一部の生徒は他の生徒ほど広い社会経験がなく、それが原因でより広い視野でエニグマ・ミッションを創り出すことができなかったのだとわかった。このようにして行われたエニグマ・ミッションのディープラーニング経験の再デザインを図表7.5に示す。

　この学習再デザインプロセスは、協働探究の最終段階の3要素すべてが活用された場合の実践変革の強力な触媒として機能してきた。エニグマ・ミッションは、教師が協働しながら、多様な尺度を用いて生徒の進捗状況を測定し、教育法が生徒の進捗状況に与えた影響を振り返り、それを基に将来のディープラーニング経験のために学習デザインを変革したり、得られた知見を利用して次に続く学習デザインを練ったりする場合に、教育実践の的確性が大きく高まることを鮮明に示す事例である。

まとめ

　NPDLにとって、協働探究プロセスは、包括的な能力構築アプローチの一環として実践を転換するための強力な触媒になっている。深い協働作業は、より透明性の高い実践と組み合わせることで、学習デザインと生徒の進捗状況の評価を変革している。学習とは何か、どのようなものでありうるのかについての理解を改善するために協働し、有効なものとそうでないものについてエビデンスを生成し、次の段階について決定を下すという一連のプロセスは、改善とイノベーションをもたらす。教育者はそうした新しい課題や挑戦に取り組むにつれて、公平性と卓越性の両方を実現する方法を理解し始める。

　第8章では、もっと大きな構図に目を転じて、学校、学区、システムにおいて、ディープラーニングの促進に必要な6Csの発達を促す学習の条件と実践を検討する。ディープラーニング・フレームワークにおけるこの4番目の要素は、私たちが部分的なイノベーションからシステム全体の変革へと移行しようとする場合、欠かすことができないものである。

> 深い協働作業は、より透明性の高い実践を組み合わせることで、学習デザインと生徒の進捗状況の評価を変革している。

文化とは風のようなものである……。

順風のときは物事が順調に進む。

逆風のときは何もかもがずっと困難になる。

——ブライアン・ウォーカーとサラ・ソウル (2017)

第 8 章

システム全体の変革を実現するための条件

システム全体の変革とは何か？

　私たちは教育における「システム全体の変革」を学習文化の変容と定義している。システム全体の変革というダイナミクスを、一方では計画的な政策と戦略の相互作用とみなし、他方では予測できない、あるいは少なくとも抑制できない力（最も顕著なものはテクノロジー）の発生とみなしている。私たちは、ディープラーニングに向けたシステム全体の変革のための条件が整っていると述べてきた。つまり、現在の状況はもはや機能しておらず（プッシュ要因）、その環境は誘惑と危険に満ちている（プル要因）のである。いずれ崩壊せざるをえず、根本的な変化が起こることになる。それは時間の問題であり、特有の構造がどのように展開するかという問題である。私たちは「ディープラーニングのための新しい教育法（New Pedagogies for Deep Learning, NPDL）」のパートナーと協力して、そうした成果によりよい影響をもたらそうとしている。

　私たちが一緒に育もうとしているマインドセットは、システム全体の変革とすべての人のためのディープラーニングである。それは試験的なプログラムでも追加的なプログラムでもなく、学習プロセスの再考である。学区、クラスター（ネットワーク）、国は、そのいずれもが学習プロセスの再考にどのように着手し拡大させるのかを決定するが、それは最終的にすべての学校のためであるという観点に基づいて行われる。学習プロセスの変革が組織のあらゆる決定に完全に結びついていると人々が認識することで、一貫性が高まる。さらに、「一貫性の形成」が進むにつれて、それは継続的な協働探究プロセスに組み込まれるようになる。参加者は自分たちが焦点化した方向性と、協働的な学習文化を育むための戦略を関連づけるようになるが、これがディープラーニングという目的のためであることは明らかだ。最終的に参加者は、インパクトをもたらし、進捗状況をモニタリングする内部の能力を意図的に構築するようになる。このようにして、変革は断片的なものではなく、体系的なものとなるのである。

　また、このモデルはイノベーションを生み出すとともに、つねに変化する外部環境とつながっているため、ダイナミックでもある。NPDLのグローバルパートナーシップは行動を促す触媒となり、豊かなリソースを提供し、パートナー

シップの参加者はディープラーニングを促す教育実践と、変革を進めるのに必要な組織的条件について、知識を構築し共有する。グローバルパートナーシップは、変革を促す触媒となる一連のツールとプロセスを提供するが、それらへの取り組みは学校、学区、クラスター、または国の内部から推進されなければならない。NPDLは、現場の人々にプログラムやツールの訓練を行う実施のためのアプローチではなく、才能とノウハウと関与を引き出す現場の能力を促進するためのアプローチである。このアプローチは内部の能力を確立しながら、持続可能性を可能にする。これは学校教育という文化における根本的な変革である。

　私たちは2つの理由から変革が進展していると考えている。ひとつは前述したように、現在の状況がほとんどの人にとって有効ではないため、対策の差し迫った必要性があることである。もうひとつは、進捗を引き起こし、促し、支えるための強固な仕組み——有効な枠組み、戦略、ツールを備えたパートナーシップ——を有していることである。私たちのフレームワークの要素に加えて、私たちには進め方、つまり変革の哲学があり、それが行動について一緒に決定し、その成果を引き出すことにつながっている。このモデルの意図は、1レベル下の人々（たとえば、州に対して学区、学区に対して校長、生徒に対して教師）の行動を「解放する」ことと、現場の目的のために開発すべきものとして政策を下から上にみることである。最終的に、このモデルは水平と垂直の二方向の学習で織り上げられる。つまり、下方向に解放して、上方向に開発し、さらにあらゆる方向に学習するのである。それも、6Cs、学習デザイン、不平等の削減、卓越性の向上という目的を持ってそうするのである。このモデルは、満たされていない基本的なニーズや価値観を関連づけ、それらを促進し、新しい飛躍的な成果を約束する思想に人々が惹きつけられる——そんな社会運動や文化運動の特徴を有している。

　実践の変革には、あらゆるレベルで新しい理解・知識・スキルを育む多面的なアプローチが必要である。こうした成長志向が意味するのは、能力がイベント型学習ではなく、時間をかけて起こる「作業埋め込み型学習（job-embedded learning）」を通じて確立されるということである。私たちは「能力構築」を、改善に必要な変革を引き起こす個人と集団の能力を育むプロセスと定義する。成功する組織は、変革を起こすのに必要な知識・スキル・態度を明確に示し、協働学習が起こる機会をもたらす。そのためには多くの場合、変革リーダーシップにおけるスキルと知識の開発、関係性の構築、教育法における的確性、進捗状況の評価のためのデータの活用を伴う。グローバルパートナーシップは仲間との、また仲間からのこの継続的な作業埋め込み型学習を基にしている。パートナー国のリーダーシップは新しいメンバーを招き入れるのにも利用される。

第8章

下方向に解放して、上方向に開発し、さらにあらゆる方向に学習するのである。それも、6Cs、学習デザイン、不平等の削減、卓越性の向上という目的を持ってそうするのである。

　パートナーシップは学校内、学校間、組織間のつながりを促す知識構築の機会を設けることによって、外部に目を向けて内部を改善するという考え方を具体化する。各種の集団的な能力構築セッション、グローバルなイベント、ディープラーニング・チャレンジ、学習経験と生徒の成果に関するモデレーションは、ローカルなものもグローバルなものも、教育者と生徒が時間と空間を超えて協働することで、共通言語を確立し、知識を深めることを目的としている。

　全体的にみて、私たちが論じている変革が混乱をもたらすことを考えると、迅速なスタートが切れている。私たちに言わせれば、それはじっくり考えて迅速に行動するという戦略である。最初に多くの問題があり、エネルギーの爆発に付随して非常に新しい価値観が生じるという感触である。ほとんどの社会運動と同様に、また私たちが採用している戦略のおかげで、ローカルにもグローバルにも強固な波及要因がある。

外部に目を向けて内部を改善する。

ディープラーニングを促す学習条件

　私たちの包括的なモデルには、ディープラーニングを定着させるために、学校、学区、システムに整えるべき条件と実践がある。これらの条件は、ディープラーニングのコンピテンシーの獲得とディープラーニング・デザインの4要素の利用を支えるサークルを形成する（図表8.1参照）。

図表8.1　ディープラーニングの条件

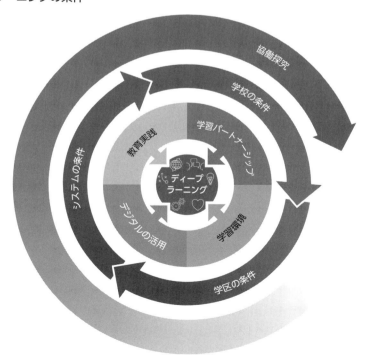

第8章

出典：Copyright © 2014 by New Pedagogies for Deep Learning™（NPDL）

　根本的な変革を導くのは一筋縄ではいかず、持続可能性は脆弱である。システム全体での進展はまだみられていないが、有望な進捗の兆しがみえている。次のコラムで、ディープラーニングの普及に影響を与える5つの条件とそれらの下位の側面を明らかにする。

ディープラーニングの普及に影響を与える5つの学習条件

ビジョンと目標

- 目標と戦略の明確性

リーダーシップ

- リーダーシップ能力
- リードラーナーの役割
- 変革リーダーシップ

協働文化

- 学習文化
- 協働作業
- 能力構築

学習の深化

- グローバル・コンピテンシー
- 新しい教育法の的確性
- 実践を転換するプロセス

新たな尺度と評価

- 新しい測定ツールと測定法
- 影響を測定するための仕組み

　私たちは学習条件の5つの側面それぞれに関する実践を説明するために、「ディープラーニングの条件に関するルーブリック（Deep Learning Conditions Rubric）」を作成した。このルーブリックは、進捗の4段階を示すキーワードを提示している。チームはルーブリックを用いて、ディープラーニングのための条件を提供していることを裏付けるエビデンスを突き止める。図表8.2はルーブリックの見本である。学校や学区はこれを基に現在の強みとニーズを評価し、ディープラーニングを成功させるために取り組む必要がある分野を割り出し、各条件の進捗状況を経時的に測定するために利用することができる。システムに関する政策上の問題は、このルーブリックには取り入れていないが、本章の後半で取り上げる。

図表8.2 [1/2]　ディープラーニングの条件に関するルーブリック

側面	限定的	発現	加速	高度化
ビジョンと目標	ディープラーニングを実現するための戦略も目標も実施支援も存在しない。決定とリソースには現状が反映される。	ディープラーニングの戦略と目標が正式に文書に明記される。リソースとプロセスと資金調達に関する一部の決定が、ディープラーニングへの移行が反映される。	ディープラーニングの目標とその実施方法について明示した戦略が、文書化され理解される。ほとんどの決定が、ディープラーニングによって調整され、ディープラーニングに同調している。	焦点を絞ったディープラーニングの目標と実施支援を備えた簡潔で十分に明示された戦略を、学校コミュニティのすべてのメンバーが把握しており、意思決定を促すのに用いる。
リーダーシップ	リーダーは形式的な規則と体制に依存し、ディープラーニングを、プロセスをまとめ上げて加速させるものとしてではなく、プロセスの付属物とみなしている。意図的にリーダーを育成するための戦略はどのレベルにも存在せず、ディープラーニングへの取り組みも少数の初期のイノベーターに限られている。	学校にリーダーがすでに現れ始めており、いずれもディープラーニングの促進に役立つリーダーの育成、体制とプロセスを公式・非公式の機会の開発、自分たちの役割であると明確に考えている。生徒、教師、家族、地域によるディープラーニングへの関与がみられ始めている。	リーダーナーは、あらゆるレベルで実践の転換を促してリーダーを計画的に育成を促す体制を、すでに作り上げている。学校全体と一部の生徒、家族、地域住民がディープラーニングに関与し、ディープラーニングの経験作りに積極的に参加している。	リーダーナーの能力はあらゆるレベルで存在し、学校全体においてリーダーシップ能力を育成し、浸透・拡大させるための明確な戦略を備えている。生徒、家族、教師、リーダー、地域住民はすべての生徒のためのディープラーニングについて情報を得、関与し、影響を与える。
協働文化	フォーマルな体制によって、リーダー、教師、学習者の間に協働が起こるが、それは「ここでのやり方」に疑問を呈するものではない。 探究は一貫性なく実践され、信頼性の低さが実践とアイデアの共有に対する消極性に表れている。 能力構築支援は個人のニーズに重点を置くことが多く、ディープラーニングに明確に結びついていない。	ディープラーニングと集団能力構築を中心に生まれた協働文化が現れ始める。 リーダーと教師は既存の実践を振り返り始める。学校と学区全体の垂直・水平の関係性を築き、体制とプロセスがある程度存在する。 コラボレーションを支えるのりしろを提供し始めるが、必ずしもディープラーニングの促進に重点を置くわけでも、結びつけられるわけでも、一貫して用いられるわけでもない。	学習文化と協働探究が存在し、ほとんどの教師とリーダーは教授とリーダーの実践を振り返り、再考・調整する。 能力構築は教師と生徒のニーズに基づいてデザインされ、ディープラーニングを促し、持続させるのに必要な知識とスキルに明確に重点を置いている。 垂直・水平の関係性によって、コラボレーションと信頼が育まれており、実践の透明性がさらに増しつつある。学校レベルの探究と学習には、あらゆるレベルのリーダーが関与し、教師を横断して協働することもある。	協働的なディープラーニングの力強い文化が学校と学区に浸透する。協働学習は常態であり、集団能力構築の体制とプロセスを作り上げる。このような文化は、イノベーションとリスクを恐れない挑戦を支える強力な垂直・水平の関係性を育むことで、集団を改革する。 能力構築では徹底的に一貫して教育法の確かさに重点を置き、学校内および学校全体で、また他の学校と協力して、学習と応用のサイクルを実現する。

第8章

図表 8.2 [2/2]　ディープラーニングの条件に関するルーブリック

側面	限定的	発現	加速	高度化
学習の深化	学校のカリキュラムとディープラーニングのコンピテンシーとの関連性は明示されていない。ディープラーニングのための枠組みは現れ始めているが、すべての人に一貫して用いられているわけでもなく、学習を導くために一貫して用いられているのでもない。個々の教師リーダーは単独でイノベーションを行っている。ディープラーニングの支援を専門にするコーチやスタッフはほとんどいない。協働探究実践は十分に理解されておらず、利用されるのはまれである。	ディープラーニングと現場のカリキュラムとの関連性はにされ始める。教育方法の的改善を導くための目標がいくつか特定されているが、改善戦略が不明確だったり、一貫性を導くために一貫して用いられている場合がある。協働探究や生徒の取り組みを検討するためのプロトコルなどの深い協働実践は、一部の教師やリーダーによって利用されていることもあるが、実践に一貫して支援はない。	学習目標と教授目標は明示されており、ディープラーニングのコンピテンシー、ディープラーニングとコアカリキュラム・スタンダードの関連性は明確である。ディープラーニングのための包括的な枠組みが、ディープラーニング経験をデザイン・評価するために広く利用されている。協働探究や生徒の取り組みを整えるためのリソースと専門知識は、学校や学区全体で一貫性が高まりつつあり、協働探究の取り組みなどの深い協働実践も同様である。	ディープラーニングのコンピテンシーのための学習目標、教授法の目標、それらを改善するための目標、コアカリキュラム・スタンダードの要件は明確に示されており、一貫性を持って取り入れられており明らかに影響をもたらしている。ディープラーニングのための包括的な枠組みはすべての人に理解されており、学校や学区全体のディープラーニング経験をデザイン・評価するためのプロトコルは一貫して利用されている。協働学習探究は生徒の進捗状況をモニタリングするのに用いられており、学校や学区全体の取り組みを検討するためのプロトコルは組み込まれ学区全体で一貫して利用されている。
新たな尺度と評価	生徒の成功と成績の評価は、依然として成功を測定するための狭い指標（テストやり数の成果物）に基づいている。教師と学校リーダーは、ディープラーニングに関する共通の言語と理解を育むために、「新たな尺度」を利用している場合もあるが、ディープラーニングの条件・デザイン・成果の測定と評価はまだ実施されていない。	より幅広く多様なエビデンスが進捗状況と成功の測定・追跡に利用されるようになり、手法を組み合わせた評価実践が行われ始めている。新たな尺度を利用するための構築の支援と、有意味な評価のデザインが実施され始める。一部の教師やリーダーはディープラーニングのデザイン、生徒の成果の測定、ディープラーニングのための条件の測定に「新たな尺度」を利用し始めている。	教師とリーダーは以下を評価・測定する能力を示す。 ・ディープラーニング・プログレッション ・ディープラーニング・プログレッションに基づく生徒の成長 ・ディープラーニングを可能にする条件 ・ディープラーニングの成果を促すうえでのディープラーニング・デザインの有効性 地方と国の優先事項とカリキュラムはディープラーニング経験に結びついており、ディープラーニング経験によって加速する。ディープラーニング経験は構造化されたプロセスによってモデレーションを受ける。	ディープラーニングの開発と測定は学校と学区に浸透しており、能力構築の取り組みに焦点化するために利用されている。尺度は年や期間を比較したいで比較され、着実な成長を実証する。ディープラーニング経験はカリキュラムとディープラーニングの目標の間に明確な関連性を示し、信頼性を確立するために、学校内および学校間で正式にモデレーションを受ける。フィードバックは学習デザインを深めるために共有され、利用される。評価実践には生徒の関心やニーズに関する深い知識が反映されており、多様なエビデンスを用いて進捗状況と学習を判断する。

第8章

出典：Quinn, J., & McEachen, J. Copyright © 2017 by New Pedagogies for Deep Learning™ (NPDL)

　ルーブリックを用いて生成されたエビデンスを分析することで、チームの多様な視点が得られる。たとえば、学区は効果的な能力構築を提供していると考えているかもしれないが、教師は新しい考え方を日々の実践に組み込むには、コーチからの支援がもっと必要だと感じているかもしれない。新たに生まれる深い対話が、そうした不足部分と、イノベーションを支えている強みを明確にするのに役立つ。いったん現状の特徴を明らかにすれば、チームはルーブリックのより高次のレベルに目を向けて、次のステップに情報を与えることができる。ほとんどの場合、学校はルーブリックを各年度の最初と最後に利用して、進捗状況を評価して次のサイクルに向けて計画を作成する。「行動」「振り返り」「調整」を反復するプロセスは、学校による変革の見方を変革し、進捗状況を追跡するためのエビデンスの利用を明確化している。

変革の新しい原動力

　変革の新しい原動力が、ディープラーニングに向かっている学校とシステムに現れ始めている。「運用・展開していく」という実施のマインドセットから、より有機的な共同学習と共同開発のプロセスへの移行が根付きつつある。学習が従来の階層的な学校教育の場合よりも、水平方向に（学校内や学校間、学区内や学区間、システム内やシステム間で）ずっと多く起こっていることに注意しなければならない。学校、学区、国がディープラーニングを取り入れるにつれて、変革の3つの段階を観察することができる（図表8.3参照）。

第1段階：明確性

　ディープラーニングの取り組みの第1段階は、焦点、共通の理解、および専門知に関する明確性の確立を伴う。明確性とは状態であるとともに、プロセスでもある。草の根の運動はしばしば、異なる取り組み方を厭わずに受け入れられる教師やリーダーの情熱から生まれる。誰もが異なる出発点を持っている。迅速なイノベーションが促され、教室においてディープラーニングがどのようなものになりうるのかについての明確なビジョンの共有が生まれる。教師とリーダーが新しいアプローチを利用し、成果を共有し始める際には、取り組みから学ぶための仕組みが必要である。現在と将来の実践に関する集中的な議論と検討は、学習の新しいビジョンを強化する。協働探究プロセスが、教育実践の検討と生徒の進捗状況の評価を誘導し始める。この段階では、信頼と透明性の確立が不可欠である。実践の共有において透明性を高めるには、教師が批判を恐れずに、安心して成果と課題を共有できるようになる必要がある。実践の共有が進展するにつれて、体制を再編して、教師の協働探究のために時間と空間

図表8.3　変革の新しい原動力の３段階

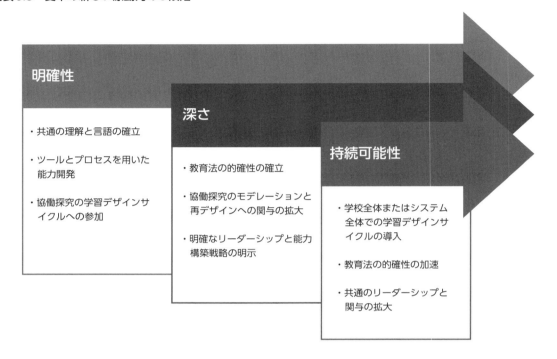

を設ける必要性がしばしば学校に生じる。教師は学習を深める教育実践を検討する豊かな対話に参加し、生徒がどの程度順調に学習しているのか、どのように改善すればよいのかを慎重に考察する。同時に、保護者をパートナーとして扱い始め、保護者の懸念に耳を傾け、対応する方法を探しながら、新しい学習実践に保護者を関与させる。この初期段階における最も強力な影響のひとつは、生徒に生じ始める明らかな変化である。ディープラーニングのアプローチを利用するにつれて、参加と成果の大幅な向上が観察されるようになる。ディープラーニングの促進を望むリーダーは、

● リスクを伴わずに生徒の変化を目の当たりにできる機会を、教師に与える。

● 担当クラスでディープラーニングの力を実際に経験した教師が、そのストリーを他の教師と共有するための時間を作る。

● この新しいアプローチが根付きつつある他の教室や学校への見学を奨励する。

● ディープラーニングの行程で数か月先行している他の学校や実践者とインターネット上でつながるよう促す。

第2段階：深さ

　第2段階が展開するのは、通常、教師とリーダーがコンピテンシーに関する集団的なビジョンを確立し、ディープラーニング経験をデザインするために、例の4要素を用いる初期スキルを身につけた場合である。意図的に取り組みから学び、実践の協働的検討が的確に行えるようになり、さらには教育法の的確性を高めることができるような仕組みが必要である。この段階では、教師とリーダーは少なくともひとつの協働探究サイクルに参加しており、その結果、教育実践の選択と経験の足場作りをより的確に行い、生徒がコンピテンシー獲得のより高いレベルへ進めるようにしようと意欲的になっている。このように、教師とリーダーは、新しい学習経験をデザインするとともに、生徒の進捗状況のモデレーションを行うために、より頻繁に協働探究サイクルに参加するようになる。学校内外で学ぶ機会を得ようとするので、教師のリーダーシップは拡大する。教師とリーダーのための能力構築は、作業埋め込み型であり、必要に応じて外部からのインプットを用いる。こうした的確性と意図性の向上は、教師と生徒の学習経験の両方で観察される。

第3段階：持続可能性

　専門知が一定のレベルに到達すると、今度は取り組みを深化させ、より広く拡大させることに焦点が移行する。学校、学区、システムは、一貫性を構築するために戦略を統合する方法を検討するようになる。私たちがグローバルな取り組みで目にしたように、教師はいったんディープラーニングをデザイン・評価し、協働探究サイクルに効果的に参加する自信と専門知を身につけると、他者の変革を手助けすることに焦点を移すようになる。それは2つの形で起こる。ひとつは、掘り下げることに焦点が移行し、学習デザインとモデレーションサイクルの的確性の向上が引き起こされるという形である。もうひとつは、学区とクラスターがより多くの学校に、最終的にはシステム全体に協働実践を埋め込むよう働きかけるという形である。教師と学校の優れたリーダーシップが発展して、次のステップを導く。そうしたリーダーシップは6つのコンピテンシーを育成・測定する最善の方法を探究し続けるだけではなく、学校やシステムに対して内部の目標を設定する。要するに、こうしたことすべてが、本来あるべき形で——文化に組み込まれる形で——継続的な専門職学習になるのである。

　NPDLのオーストラリア・ビクトリア州クラスターは、最初の3年間の取り組みでディープラーニングの確固たる基礎を築いたが、さらに3つの問題を特定して現在取り組んでいる。それらの問題は第3段階で起こり始めるさらなる深化を示している。

要するに、こうしたことすべてが、本来あるべき形で——文化に組み込まれる形で——継続的な専門職学習になるのである。

● **評価実践の改善**——迅速に最新の評価実践を導入するために、教師の自信と能力を強化する計画である。生徒の進捗状況に関するデータとエビデンスを収集し、分析し、解釈する現在のプロセスの一環として、教師と学習者の評価戦略のレパートリーを拡張する機会を作る必要がある。

● **システムのカリキュラムの枠組み**——教師がカリキュラムという箱の中から出て考え、「教えなければいけないことがあるので、これはできません！」という態度を克服する後押しをするのが次の課題である。システムの枠組みは、しばしばイノベーションを制約するものであって、交渉の余地のないシステムの構造とみなされている。多くの教師が、実際には教師が考えるよりも柔軟にカリキュラムを計画できる場合でも、物事はひとつの方法でしか行うことができないという認識を持っている。ビクトリア州カリキュラム・フレームワーク (Curriculum Framework in Victoria) が特定しているのは、「何を教えるか」であって、どのように教えるかではない。私たちのカリキュラム担当局 (Curriculum Authority) は、カリキュラムとは生徒が実際に「何を」学ぶべきかを示したものであると説明しており、それ以外の部分は教師に委ねている。学校と教師には、それを「どのように」へと変えることが期待されている。カリキュラムとは教育法ではなく、すべての若者に、理解して応用する機会を持ってほしいと考えられていることがらなのである。教師が教室でカリキュラムを実践する方法と、教育法という問題について学校全体として下す決定は、完全に学校に任されている。現場の状況と現場のニーズ、現場の専門知に基づくべきであるが、だからといって「何を」学ぶべきかの価値を低くみるわけではない。学校その他でディープラーニングを強固なものにして、持続させ、普及させようとするなら、教師が新しい教育実践や実績のある教育実践を選択し、実施し、試みる自信と能力を向上させるための支援を継続する必要がある。

● **生徒を過小評価しない**——生徒ができるようになるべきことがらについての先入観が、教師が提供する機会の幅を狭める場合がある。教師が学習の足場を作りつつも生徒にオープンエンドの課題を与えたとき、私たちは生徒の学習やその結果としての成果物にいつも驚かされるのだ。(オーストラリア・ビクトリア州クラスター, 2017年5月, 私信)

　第3段階では、現場のリーダーが戦略を持ち、深化させるためのイニシアティブを取り、実践をより広く普及させる。内部を改善するために定期的に外部に出て、学校や学区、国境を越えてつながりを持つ。彼らは意図的に、教員リーダーをはじめ、あらゆるレベルのリーダーを育成している。最も重要なことは、彼らが影響を探り、取り組みからつねに学んでいるということだ。

実践中のディープラーニング

　社会運動は思想をめぐるものであり、変革に熱心な初期のイノベーターから始まることが多い。以下では、どのような条件下でどんな実践が、学校や学区、システムで展開されているかを示す例を取り上げる。

実践中の学校

　オーストラリア・クイーンズランド州では、6校の中等学校がディープラーニングの取り組みへの参加を希望し、学校クラスターを形成し、互いに学び情報を共有している。次の例はそのうちの1校の例である。

外部に目を向けて内部を改善する

パイン・リバーズ中等学校（オーストラリア・クイーンズランド州）

　パイン・リバーズ中等学校でのディープラーニングは、献身的な教師からなる小グループによって始められたが、すぐに学校の全体的な戦略計画に結びつけられ、変革を拡大するために用いられることになった。彼らは教職員を参加させるために、NPDLのツールと共通言語を用いて計画文書を作成し、NPDLとの連携の当初からディープラーニングの共通の理解を構築し、協働探究サイクルを採用し、「正確にピントを合わせて」実施の焦点を設定した。他の5校の中等学校と定期的に会合を持って実践と洞察を共有しており、そこでは、「外部に目を向けて内部を改善する」という考え方が重要な役割を果した。次の書簡は、このプロセスを約8か月続けている校長からのもので、学校への影響を説明している。

　　NPDLは我が校の教職員にとても大きな影響をもたらしてきましたので、2017年に掲げた改善課題は「ディープラーニング・プロセス」としました。私たちはディープラーニングに必要な3つの条件——ディープラーニングの目標、デジタルの活用によって加速する明確な教育法、教職員の能力構築——を実現するための計画文書を作成しました。我が校の戦略ビジョンがNPDLの行程に合致していることがおわかりになると思います。また、計画を調整して、教師に対し、ASOT［訳注：マルザーノの*The Art and Science of Teaching*に描かれている教育法］やナショナル・スタンダードとの関連性を持たせました（図表8.4参照）。

　　まずは7年生と8年生のSTEM（科学・技術・工学・数学）とHASS（人文・社会科学）のプロジェクト型の単元によって生徒のためのカリキュラムの機会を与え、さらに私たち固有の「IGNITE」プログラムによってより深いカリキュラムの機会を設定しました。しかし、

社会運動は思想をめぐるものであり、変革に熱心な初期のイノベーターから始まることが多い。

第8章

この取り組みの一番ワクワクする部分は、7年生から12年生を対象にした「人生のための学び（Learning for Life）」プログラムのデザインです。このプログラムでは、選択制の多様な自己開発プログラムで6Csの育成を目指します。教職員は時間割の再編成を投票で決定し、6Csのスキルを生徒に明示的に教授する時間を毎日設けます。クリスマス休暇のために中断するときでさえ、計画チームはこのプログラムの議論をしています。私はルーブリックをテーマにした創造的思考のグループに加わり、文書でどう概説するかを議論しています。遅れてNPDLのツールを採用した教師も、休暇を取らずに深掘りする作業を始めましょうと提案してきました。NPDLのクラスターとの協力は、私の32年間の教職生活でも最善の取り組みのひとつであると心から言うことができます。（ジョン・シュナー、パイン・リバーズ中等学校校長、クイーンズランド州, 2016年12月, 私信）。

　その6か月後、シュナー校長から2通目の書簡が届いた。そこには、クイーンズランド・ステート・スクールズ（Queensland State Schools）によって、パイン・リバーズ中等学校で初となる大規模学校審査が実施されたことが書かれていた。「ディープラーニング」を改善課題として掲げた学校としては初めて受ける審査であった。校長は次のように述べている。

　　審査担当官たちは学校を訪問して読み書き・計算（リテラシーとニューメラシー）に着目するように訓練されています。彼らは私たちをどう扱っていいのかよくわからず、1日かけて質問した後、ようやく私たちが彼らの審査事項にそぐわないアプローチを重視していることを認識したようでした。私たちは、ナショナルカリキュラムを支える「21世紀型スキル」と「一般的能力」に6Csを対応させる作業に、多くの力を注いできました。それが私たちの取り組みの妥当性を確固たるものにするのに役立ちました。

　　4日目になる頃には、審査担当官たちは全員が納得して、すばらしいという審査結果が出されました。興味深いことに、功を奏したのは地域住民とのパートナーシップでした。特に私たちのディープラーニング・プロジェクトのひとつに関与している大学教授が、「私にできる最大の補定は、パイン・リバーズ中等学校の生徒や教師から、私たちが彼らに教えてきたことよりも多くのことを学んだということだ」と述べたことです。審査担当官たちは、私たちの「人生のための学び」プログラムが初期段階であることを認めつつも、私たちが勇気を持って学校全体でコンピテンシーを明示的に教授していることを称えてくれました。

図表8.4［1/2］ 2017年パイン・リバーズ年間改善計画

パイン・リバーズ州立中等学校
「さまざまな方法で卓越性を」

ディープラーニング・プロセス

目的

ディープラーニングが起こるのは、学習者が獲得した知識、理解、洞察、思考力を用いて、幅広い問題を解決しようとするときだと私たちは考えている。学習者は単独で、または協働して取り組み、多くの場合デジタルを活用してイノベーティブな解決策を考案し、重要な問題を投げかける。自己省察、探究、忍耐力が育まれることで、学習者は自信を持って粘り強く新しい課題に対処するようになる。

理由

パイン・リバーズ州立中等学校は以下のことに取り組むために、ディープラーニングを促す行程に着手した。
1. 地域の関与を高めて、出席率の上昇、外部の組織との学習パートナーシップの強化、当校の実績に対する教職員・保護者・生徒の満足をもたらす。
2. 7年生と9年生の学力調査NAPLAN［訳注1］の読み書き計算において、評価基準の上位2バンドに到達する生徒の割合を高める。それによって、最終的には我が校のNAPLANの平均スコアが引き上げられることになろう。
3. クイーンズランド・コア・スキルズ（Queensland Core Skills, QCS）の成績を改善して、科目の成績と個人の成績の相関関係を高める。それによって、最終的には我が校のOP1～15の数値、とりわけOP1～5の実績が改善されるだろう［訳注2］。
4. 次回の外部シニア・アセスメント・プログラムを受ける必要のある生徒と教師のスキルを育成する。

方法

フランとクインの著書『一貫性（Coherence）』（p. 79）に次のように書かれている。
システムは以下のことを実践することによって、学習者の学びを深める3要素を用いながら、学習者の参加を大幅に改善することができる。
1. ディープラーニングの目標の明確性を確立する
2. デジタルによって加速する教育法の的確性を構築する
3. 教職員と生徒の能力構築を通して実践を転換する

ロバート・マルザーノの著書『教えることの技と科学（The Art and Science of Teaching）』では、質に関する枠組みの重要要素を10個あげている。とりわけディープラーニングに関するものは以下の要素である。

フィードバック
    DQ1　明確な学習目標の提供と伝達
    DQ2　評価

コンテンツ
    DQ4　授業の実践と深化
    DQ5　知識を応用する授業

オーストラリア教授・スクールリーダーシップ機構（Australian Institute for Teaching and School Leadership, AITSL）は、そのスタンダードにおいてディープラーニングを明示的に述べている。
1. 生徒について、および生徒がどのように学ぶかについて理解している
2. 内容とそれをどのように教えるかを理解している
3. 効果的な教授と学習を計画し実施する
5. 生徒の学習を評価し、フィードバックを提供し、報告する
6. 専門職学習に参加する

そのため、学校全体でのディープラーニング・プロセス実現のための戦略は、以下に基づく。
1. 何を学ぶ必要があるのか、実現すればどのようなものになるのかを理解する
2. 生徒中心のより深い学習の機会を生かせる生徒を識別するために、生徒がすでに知っていることを理解する
3. 形成的評価を利用して、進捗状況をモニタリングすることで、単元サイクル内での内容と教育法の変化を特定し実施する
4. すべての生徒が学習プログラムを利用し、デジタルを活用して進捗を加速させることができるように、読み書き能力とデジタルリテラシーのためのはっきりした戦略を立てる
5. すべての学習者が自己省察的、自己主導的になるためのスキルを育む

第8章

図表8.4 ［2/2］ 2017年パイン・リバーズ年間改善計画

パイン・リバーズ州立中等学校
「さまざまな方法で卓越性を」

学習の総括的評価

1. 教科主任と担任教師は生徒の成果を振り返り、次の単元での生徒の学習のために適切な調整を行う。
2. 生徒は自分の学習改善計画を更新する。
3. 教師は生徒にフィードバックを求める。

我が校のディープラーニング・プロセスは次の探究サイクルをたどる

評価

デザイン

学習の実施

測定・振り返り・変革

利用できるベースラインデータを調べて、担当学級の生徒のことを理解し、ワン・スクール（One School）のデータダッシュボードのノートを適切に更新する。

単元のデザインは共通のテンプレートを用いて実施され、個々の生徒、関連する成功基準、読み書き計算能力とデジタルコンピテンシー、教育法に適切に取り組むディープラーニング目標の概要を示す。

生徒は学びが深まるにつれて、教師中心から生徒中心への学習へと移行する。これは協働でも個別でも起こりうる。デジタル戦略はこの移行を加速させることができる。

学習としての、また学習のための形成的評価（進捗データなど）。
データダッシュボードのノートは、以下の現行のフィードバックを適切に用いることで更新される。
・本による学習
・習熟度の尺度
・学習目標追跡シート
・プレテスト

我が校の具体的な目標は

データセット	目　標
NMS読み	>95％
NMS書き	>95％
NMS計算	>95％
U2B読み	>20％
U2B書き	>20％
U2B計算	>20％
出席	>90％
QCE獲得	100％
OP1〜15	>80％
懲戒による出席停止	>175pa
BYOD取り込み	>90％

訳注1：NAPLANとは、National Assessment Program–Literacy and Numeracyの略で、公立と私立学校のすべての3年生、5年生、7年生、9年生の生徒を対象に毎年行われる、読み書きと計算の能力を評価するテストである。テスト結果は、全国平均と各生徒の成績が「バンド」と呼ばれる6段階の水準表の上で示される。

訳注2：OPはOverall Positionの略で、高等教育機関へ進学するための査定である。評価のバンドが1から25に分かれている。OP評価システムは1992年から適用されてきたが、2019年いっぱいで廃止された。

出典：クイーンズランド州パイン・リバーズ中等学校、ジョン・シュナー校長のご厚意により掲載

第8章

　これはディープラーニングに取り組んでいる多数の学校の一例である。注目すべきは、中等学校全体でのこの大きな転換が、18か月の間に起こったということである。学区、州、教育システムはこうした新しいアプローチが生徒に大きな影響を与えているのを認識しているものの、影響を評価するための従来の尺度をこの新しい現実に対応させるのに苦労している。私たちは各国のパートナーと協力して、コンピテンシーの獲得をこれまでよりも適切に実証する方法だけでなく、こうした生徒たちがよりよく人生に備える方法についても明らかにしようとしている。状況や能力、リソースはさまざまであっても、対象を絞ったディープラーニングのビジョンに一連の包括的なツールや実践を組み合わせることで変革が加速しているのを、私たちは目にしている。以下では、単独の学校でのイノベーティブな取り組みから、学校システム全体での取り組みに移行する方法について取り上げる。

実践中の学区

　学区は、ディープラーニングのマインドセットと実践への移行を促す条件を有効にするため、システム全体への実践の拡大を阻む障壁を除去するのにきわめて重要な役割を果たす。学区が変革を促進できるのは次の場合である。

- システム全体について考えるマインドセットで学区のシステムをディープラーニングに集中させる。

- 生徒と大人がリスクを恐れずに挑戦し、失敗と成功から学ぶ際に安心を感じ、また支えられていると感じるイノベーションとコラボレーションの文化を育む。

- 能力構築の機会を提供することで、教育法の的確性を意図的に向上させる。

- 成功を測定するための基準を設ける。

　ディープラーニングに移行するための処方箋はない。次に**カリフォルニア州**の南カーン統一学区と、**カナダ**のオタワ・カトリック学区教育委員会という2つの学区の事例を取り上げる。それぞれで内容と行程が大きく異なるが、どちらも変革の条件を確立する際に学区が果たす役割の重要性を実証している。

コミュニティをグローバルなマインドセットに

南カーン統一学区（カリフォルニア州カーン）

　生徒数3,500人の小さな学区、南カーン統一学区を訪れると、親や生徒、教師やリーダーが学区に対して抱いている誇りや情熱に気づかずにはいられない。南カーン統一学区はNPDLに参加してまだ1年足らずなので、私たちはこの学区をスタートアップの例とみなしている。必ずし

もこのようになるとは限らない。南カーンはカリフォルニア州セントラル・バレー南部の砂漠の外れにあり、都会から離れた小さなコミュニティである。生徒の大部分はヒスパニックと白人で、生徒の90％が給食費無料・減額プログラムの対象者である。真っ先に驚かされるのはその物理的な孤立である。近隣にエドワーズ空軍基地があるため、厳しい規制を受けており、周囲は水平にも垂直にも空間が広がっている。

　ワインスタイン学区長はコミュニティの態度について、非常に説得力のある説明をする。「この地域にやってきて、教育の再編と子どもたちの可能性について話し始めたとき、住民の反応はこうでした。いいえ……私たちにそんなことはできません。ここはごく小さな学区なんです……大都市とは違います……私たちの力量をはるかに超えています」。ワインスタイン学区長は粘り強く、学校と生徒をコミュニティとつなぐあらゆる機会を模索した。そして、新しい施設を建設し、既存の施設を最新化するとともに、生徒が新しく刺激的な学習に参加するあらゆる機会を得て、互いに関わりを持ち、向上心を引き出し、学校の物理的境界の外にいる人々とつながることができるようにした。

　南カーン統一学区は2016年8月、すべての人のためにディープラーニングを促すことを目的とした7か国によるグローバルパートナーシップ、NPDLに参加した。ほどなくしてすべての生徒、教師、リーダーがディープラーニングの取り組みに関わった。その年の間、生徒全員がディープラーニング経験に参加した。共通のテーマはコラボレーションであり、それは学習だけでなく学区そのものも動かした。リーダーシップチームは意図的にネットワークを広げ、パートナーシップを結んだほか、コミュニティを引き込むためにあらゆる機会を追求した。ワインスタイン学区長はこう指摘した。NPDLはこの新しい文化の要となり、南カーンのコミュニティ全体が小さな学区に留まらない、何か大きなものの一部となりうることを示した。実のところ南カーンのコミュニティは、グローバルな知識経済の一部として、協働し、コミュニケーションし、学習することが可能であることを実証したのである、と。コミュニティを訪れると、生徒がこれまでになかったやり方でつながりを持ち、学習していることを教えられるだろう。保護者とコミュニティの参加はこれまでになく高い。何より視野と目的が拡大したのを感じられる。彼らの情熱と献身ははっきりと目に見える。リーダーシップは細かく調整されている。彼らの学習に勇気づけられる。

　南カーン学区でディープラーニングが浸透するスピードは目を見張るものであり、システム全体の変革を考えるマインドセットにより、学区が外部に目を向けて内部を改善しようとする場合の波及力の強さを実証している。ディープラーニングのテーマは学区の取り組みを一体化する触媒の役割を果たし、生

徒、教師、地域住民から同じように関与を引き出した。彼らは現在、自らをグローバルな運動の一員とみなしている。南カーン学区を深い変革の例とみなすには時期尚早であると考えられるが、同学区の初期の成功は、条件が適切であれば、変革を迅速に進めることができるという私たちの知見を裏付けている。

　もうひとつの学区のエピソードは、学区全体に及ぶ3年間の意図的な社会運動に関するものである。オタワ・カトリック学区は都市部の学区で、84校4万人以上の生徒を擁する。すべての学校と教室が完全にディープラーニングを導入しているというわけではないが、同学区と学区内の学校を訪れると、何が可能なのかを垣間見ることができる。

解き放たれたシステム変革

オタワ・カトリック学区教育委員会（カナダ・オタワ）

　教室に足を踏み入れると、生徒たちがパーソナルデバイスを操作し、協働や活動のために目的を持ってスペースを利用しているのが目に入る。生徒たちは後で背景や音声を加えられるように、校舎のあちこちにある緑色の壁を利用して、動画を撮影していることもある。校舎の壁は生徒が制作したカラフルな作品や絵画で覆われている。活発な活動を示すようにざわめいており、生徒が自分たちの学習に責任を持つのが普通のことになっている。

　しかし、新しい方法で学習しているのは生徒だけではない。教師が学習活動を計画し、生徒の学習や成果の深さを検討するために、学年ごとや混成委員会ごとに集まるチームミーティングでも、教授と学習がはっきりとみてとれる。教師の学習は計画だけに限られているわけではない。馴染みのないアイデアや新しいデジタルデバイス、リソースなどを用いて探究がなされる際には、教師が生徒と一緒に、または生徒から直接学んでいる学校がみられるからだ。

　校長と学区長もまた学習者として目に見える存在である。それは彼らが生徒主導のワークショップやチュートリアルに参加することで、デジタルの活用方法を学び、自分自身の学習や教育実践を改善しているからである。教師、リーダー、そしてときには生徒からなるチームが観察目的で教室を訪問するラーニング・ウォークは、教室での実践を観察するスキルと、生徒の学習を深めるためにフィードバックを提供するスキルを磨く。また、全校長と全学区長が参加する月例会合は、実践に関する問題の共有と解決策の考案に重点的に取り組む機会となっている。

　この種の学習をすべての学校と教室にとって当たり前のことにしようとしても、偶然にはそうならない。オタワ・カトリック学区はディープラーニングのテーマを取り入れて、一貫性フレームワークの構成要素を利用し、システム全

体の変革戦略を案出した。学区長は同学区での行程に寄与した条件について次のように述べている。

リーダーシップとガバナンス─お膳立て： イノベーションとウェルビーイングはかねてよりこの学区の変革の中心であった。2010年の初め、変革のための青写真が協働で作成されたが、それは、教育委員会での文化の転換に重点を置く一方、デジタルエコシステムの構築では、教職員と生徒のコラボレーション、クリエイティビティ、クリティカルシンキング、コミュニケーションに、より多くの重点を置くものであった。同時に、学区はすべての学校へのWi-Fi設備の導入、学校図書館のラーニングコモンズへの転換、教育者全員へのノートパソコンの支給、ソフトウェアとハードウェアに関する完全なサポートを含む、インフラの改善を実施した。ガバナンスの問題は、ソーシャルメディア政策の策定と、デジタルシティズンシップに関する年間の指導をカリキュラムに組み込む同州初の計画を反映したものとなった。リーダーはこうした土台の上に、3年間（2014〜2017年）の包括的システム変革に関する一貫性ある計画を戦略的に作成し、資金をこの新しい方向性の直接支援に向けた。注目すべきは、こうした力強い取り組みが、新たに資金を投入するのではなく、方向性を鮮明にして、その支援のために資金配分を再調整することで実現したことである。

システム全体について考えるマインドセット： 同学区のシニア・リーダーシップ・チームは、推進力として教育法を重視し、テクノロジーを活用して新しい学習と教授の機会を創出するという同教育委員会の姿勢に、NPDLが合致することを確認した。最大限の効果が得られるように、最初に7校の学校がNPDLの参加校に選ばれた。その際、参加校が、学区長の担当する学校グループに1校ずつになるよう選択し、すべての学区長が各教育委員の担当区域の1校と一緒に、このリーダーシッププロセスに参加するよう徹底した。各学区長は、校長が協力的で、デジタルエコシステムの構築によって始まった変革プロセスに関心を示した教職員のいる学校を選んだ。能力を構築するために、各学校には1人の中心職員と、「ラーニングコネクション」と呼ばれる学習ネットワークに以前から参加していた他校の1人の教師が関与した。ラーニングコネクションに属する教師たちは、教育者に対してアプリケーション、テクノロジー、専門職学習、コラボレーション機会などへのアクセスを支援する州の学習ネットワークにも参加していた。このようにして、私たちは複数の学習ネットワークとつながりを持つことで、相乗効果を引き出すことができた。ある中心職員はこの新しいNPDLの学習ネットワークの責任者に任命され、委員会の代表者としてNPDLを支援し促進した。

　2年目の2015年、委員会はNPDL学習ネットワークの序盤の成功を土台にして、参加校を15校に拡大し、5校の中学校と縦のつながりを築い

て、合計20校に増やした。1年目の参加校の教職員による取り組みを利用して、新しい学校に取り組みを普及させるため、学区のリーダーシップが重要になった。1人の中心職員と他校の1人の職員と学校をつなげるというモデルは継続された。探究サイクルモデルを用いて学習フェアを成功させ、教職員がNPDLの枠組みを用いてその成功を称え、共有した。

　この年に構築されたシステムの重要な構造は、一貫性に関する中央委員会であった。これまで、シニアリーダーたちは、NPDL学習ネットワークなどの先駆的取り組みを互いに調整しようとして、異部門間の活動を奨励してきていた。機能は構造に勝るという視点が、一貫性に関する中央委員会の創設に顕著に現れている。機動性の高い戦略的な委員会では調整よりも一貫性のほうが重視されるからである、

　優先事項としての能力構築：1年目と2年目に行われた能力構築は、3年目に全84校の参加を進めるうえで重要であった。NPDLはもはや単独の学習ネットワークとはみなされず、すべての学習ネットワークを対象にした、委員会の学習と教授の枠組みとみなされた。すべての中心職員は、ディープラーニングの学習デザインの4要素と6つのグローバル・コンピテンシーに焦点を絞り、ディープラーニングの枠組みを活用する能力を確立した。計算や読み書き、幼稚園などの学習ネットワークはこれからも存続し続けるだろう。だが、どのネットワークも実践においてディープラーニングの枠組みを用いることになろう。カトリックの学校システムとしては、カトリックの用語を、グローバル・コンピテンシーの定義と教授アプローチに取り入れることが重要であった。現実世界の問題解決や社会貢献が重視されているので、そうしたカトリックの卒業生に期待される能力と結びつけることは、一貫性のあるプロセスであった。

　協働探究に基づく行動を育む：各学区長は彼らが支援する校長と会う際、学校のイノベーションを振り返るための議論のポイントとして、学校の条件に関するルーブリックを用いた。既存のNPDLの推進派は関与を続け、専門知を活用して、新規参加の教師全員と、委員会のコーチンググループや専門職学習グループなど、さまざまなグループにディープラーニング・プロセスをもたらした。委員会のすべての職員は、ディープラーニングの参考ガイドを受け取った。ディープラーニングの用語と、読み書き計算の習得への一貫性のあるアプローチが理解できるようにするためである。学区長はシステム全体に及ぶすべての対応と、校長とシステムのリーダーとの月例会合に、ディープラーニングを重点的に取り入れた。各学習ネットワークは、彼らの取り組みによるシステムへの影響をモニタリングし、振り返る手段として、ディープラーニングに基づくルーブリックを用いた。

　1年目と2年目のNPDLに参加した教育者には、今ではディープラー

第8章

ニング認証プログラムに参加する機会がある。そこで彼らは、グローバル・コンピテンシーの教授と測定のためのルーブリックのツールキットを利用しながら、探究サイクルを通じて他校の教育者のメンターを務める。アーリー・アダプター（初期採用層）となった教育者には、その功績を称えてデジタルバッジが授与される。教室でのディープラーニングの実施を加速させたい教職員向けには、別個のディープラーニング入門コースが創設された。

　外部に目を向けて内部を改善する：学区レベルでは、今では同一の教授と学習のネットワークを利用して、協力して一緒に取り組みを実施する部門があるため、私たちは一貫性を実現しつつある。学校職員には共通の用語があり、それによって協働し、学習ネットワークとつながることが可能になる。リーダーシップは組織のあらゆる領域から生じており、学校訪問とラーニングウォークは4要素と6Csに重点を置いている。

　オタワ・カトリック学区は学区内の変革だけではなく、教室見学を主催し、作成した多様なリソースを共有することで、グローバルパートナーにリーダーシップの提供も行ってきた。彼らの言葉を借りれば、「生徒と教職員は、委員会がディープラーニングに焦点を合わせることで、活気づいています。私たちはグループを利用してグループを動かすことに成功しています」（オタワ・カトリック学区教育委員会，2016年12月，私信）。

　どちらの学区の事例でも、システム全体について考えるマインドセットが変革の速さと深さに不可欠であるのがみてとれる。当初、それぞれの学区は状況とリソースが大きく異なっていたが、どちらも変革に向けた説得力のあるビジョンと戦略を策定することができ、イノベーションのための条件を整え、取り組みから学ぶことで、反復的な方法で能力を構築している。最終的に、NPDLに参加している学区（オタワ・カトリック学区はその典型例である）は、見学者を受け入れ、他のシステムを支援し、地域的・世界的なNPDLラーニング・ラボに参加することで、他の学校や学区と一緒に活動するようになった。

進行中のシステム

　私たちは7か国で多数の学校クラスターと協力しているが、すべての国で変革が可能なのかという疑問が生じる。私たちが知っている中で、州全体で、あるいは国のシステムでディープラーニングを支援する上部構造を創設した国はない。率直に言って、それが進むべき道なのかどうかはわからない。私たちは取り組みを「政府事業」と定義することなく、システム全体を整備する後押しをしたり、システム全体と協力したりすることに専念してきた。対処すべき要

素とディープラーニングの展開を促進し支援するためにシステムがなすべきことを明らかにしてきた。システムレベルの最も明快な要素には、重要な目標としてのディープラーニングの明確化、カリキュラム政策、インフラストラクチャー、投資、能力支援戦略、ディープラーニングの成果に合わせた評価制度などがある。政府はデジタル世界への普遍的で質の高いアクセスがすべての人に可能になるよう徹底しなければならない。ディープラーニング経験を採用し、カリキュラムに組み込んだ国の政策が、多数の場所で実施されている。システムの役割は、学校と学区がディープラーニングに参加し採用するのを正当化し、支援し、可能にすることである。それには、イノベーションを促す戦略への投資と、試みられていることがらから中央が継続的に学ぶための豊かな仕組みが必要である。ひとつの重要な構造は、学校と学区のネットワークとクラスターを通じて、境界を越えたパートナーシップと学習を支援し、正当化することである。もうひとつの戦略は、企業と学校のパートナーシップと、他のコミュニティグループとのパートナーシップやグローバル規模でのパートナーシップを積極的に支援し促進することである。

　公共政策の変革は、本章で論じ、第9章でさらに広範に取り上げる評価の問題にも対応しなければならない。第9章では、教授と学習の焦点を、容易に測定できるものに制限することが、実はその教授と学習を狭めていることに注目する。教育システムはどの学習内容と成果が今日の世界で成功するのに欠かせないのかを判断しなければならない。それには測定のツールと実践の根本的な転換が必要である。つまり、信頼できるディープラーニングの尺度とともに、毎日の生徒の取り組みのなかにディープラーニングのスキルを見出し評価する有効な方法を考案することが必要なのである。その解決策では、内部と外部への説明責任に着眼する必要がある。「内部の説明責任」とは、生徒の学習に対する教師と学校リーダーの間の集団的責任の確立をいう。個人とグループは州の政策に関連した学習目標を定義し、学習と評価をシームレスに結びつけ、起こっていることとその影響について包み隠さず明確にする。「外部への説明責任」は新たな尺度に関するパフォーマンスを強化する。

　本書巻末の付録では7か国それぞれの概略を示し、第9章ではディープラーニングの事例を取り上げる。目的は取り組みの本質を事実で裏付けることである。

まとめ

　全体的にみて、私たちの結論は──7か国の参加者も同意すると思うが──NPDLはシステムレベルのディープラーニングに向かう強固でローコスト・ハイリターンの行程であるというものである。しかし、物語をそこで終わらせて

はいけない。NPDLの運動がどれほど安定するのかという問題がまだ存在する。リーダーシップの転換を5年以内で成し達げられるのは、かなり確かなことなので、私たちは、リーダー・チームの構築と、それに関連する広範で集中的な支援を行ってきた。こうした支援は、私たちが複数年にわたって取り組んできた成果であると考えられるが、支援が十分に広くもなければ深くもない事例もいくつか見受けられる。変革とは不安定なものであって、つねに努力をしていくことが求められるのである。

また、現状が内部からは動かせない場合もあることが立証されている。私たちはトップに依存するのではなく現場を強化することに、最善を尽くしてきた。厄介な問題は、教育者が変革に献身している場合でも、自分の習慣や傾向性、あるいは現行の規範に関わるシステムからの圧力に直面したときに、実際に変革を行うことができるのかということである。私たちの同僚でハーバード大学のリチャード・エルモアは、慎重で洞察力のある研究者であり、数十年間にわたり学校とシステムの改善を研究してきた。彼は私たちの基本的な主張に対して、次のような返信を送ってきた。「基本的に、制度化された思考というものは、既存の予測可能な構造と両立する形で将来を投影しがちです」(Elmore, 2017，私信)。私たちの3つ目の同様に深い理由に関して、エルモアは「社会は、これまでほど厳密に定義されたものではなく、はるかに水平的でネットワーク化されたものに変わりつつあります」と付け加えている。

水平的でネットワーク化された学習は私たちの戦略に不可欠なものであり、エルモアの指摘は妥当なものである。ジョシュア・ラモ (Ramo, 2016) は同様の主張をより詳しく述べている。それによると、現在私たちが足を踏み入れつつあるのは大規模に「つながった世界」であり、そこでは、彼が言うところの「第七感」が必要になってくる。第七感とは、グローバルなネットワーキングの大規模な相互作用に、水平的にも垂直的にも参加する能力のことである。私たちは、この現象が急速に枝分かれして広がっており、一般に知られている学校教育を崩壊させかねないことを進んで認めよう。私たちに言えるのは、もしそうなった場合、ディープラーナーは他の学習者よりも高い対応能力を発揮するだろうということだけである。実際、ディープラーニングのリーダーの一部（おそらく特に若いリーダー）は、今日一般的に考えられているような学校を必要としない、新しい学習の一部になるネットワーク化された学習システムを、将来先導することになるかもしれない。

いかなる未来であっても、その重要な要素には、学習実践の転換とその成果を評価する新たな尺度が必要になるだろう。次章ではそうした新たな尺度について取り上げる。

Learning Partners Collaboration – New Zealand (Video 5.1)
https://youtu.be/yQT-D25xxBA
www.npdl.global

Young Minds of the Future – Australia (Video 5.2)
https://youtu.be/bljay0yHqfw
www.npdl.global

Derrimut Public School – Australia (Video 6.1)
https://youtu.be/mll4faYJpk8
www.npdl.global

Mini Library in Malaysia, Grovedale West Primary School – Australia (Video 6.2)
https://youtu.be/bcBtmdecmts
www.npdl.global

測定の目的は
物事を正しく行うことだけでなく、
正しいことを行い、
その行い方を絶えず改善することである。

──パール・チュー

ディープラーニングのための新たな尺度

新たな尺度

　学習のデザイン、実施、評価は、学習者の進捗状況を測定し、成功を定義する能力につねに左右される。私たちの包括的なモデルには、評価し学ぶための要素が多数ある。測定すべき主要な新しい分野はグローバル・コンピテンシー（6Cs）──キャラクター、シティズンシップ、コラボレーション、コミュニケーション、クリエイティビティ、クリティカルシンキング──と、実践においてそれらを最もよく育成し測定するラーニング・プログレッションである。本章では、私たちのモデルにおける2つの中核要素の測定に重点を置く。その2つとは、6Csと実践におけるその具体化、およびディープラーニング・デザインの4要素である。

　本書では全体を通して、学習者が思考、生活、世界を前に進める準備を整えるためのものとして、ディープラーニングを論じてきた。ディープラーニングのコンピテンシー（6Cs）を、現代社会における生徒の成功に必須の能力として重視してきた。生徒がこれらのコンピテンシーを磨き、学習内容を習得し、有意味な学習を創出・応用する能力を築くのを支えて、生活とコミュニティに真の変化をもたらすディープラーニングをデザインする重要性を強調してきた。画一化と内容の暗記から、パワフルな新しい知識とコンピテンシーの創出と応用へと価値を移行することによって、測定ツールと実践における根本的な転換が必要になっている。ここでの違いは、生徒が知っていることがらを測定することと、その知識を重要な学習コンピテンシーと組み合わせることで、生徒に学習し、創造し、行動し、成功する準備をさせているかを測定することとの違いである。

ディープラーニングのコンピテンシー

　今日の学習者にとって重要なものの中核にあるのが、ディープラーニングのコンピテンシー（6Cs）である。生徒のディープラーニングのコンピテンシーがどの程度成長したかについての測定は、世界の教育システムで一般的にみられる類いの評価とは著しく異なる。その測定にはコンピテンシーそのものの理解だけでなく、その理解を幅広い学習エビデンスに結びつけ、ディープラーニ

> 学習のデザイン、実施、評価は、学習者の進捗状況を測定し、成功を定義する能力につねに左右される。

ングの成果の育成と測定の両方を促す学習をデザインする能力も必要である。さらに、ディープラーニングの発展が可能なのは、その成長を促すための適切な条件が整っていて、学校、学校クラスター、システムが確実にディープラーニングを根付かせ、生徒のために永続的な真の変化を引き起こすのを支える場合のみである。

有意味な測定を成功させるために必要なステップ

1. 学習者にとって本当に重要なものを特定し、定義する。

2. ルーブリックやラーニング・プログレッションを用いて、学習や成長のさまざまな段階での成功がどのようなものなのかを明確に記述する。

3. 測定にずれがある場合、見解の一致している記述内容を用いて、成功を測定する他の尺度を開発または選定する。

4. ディープラーニングをデザイン・実施・評価・測定して、幅広い評価と指標に基づき、十分に根拠のある決定を下す。

5. 学校・学区・地域それぞれの内部で、また必要があればそれらの間で、評定者間信頼性を高めるために評価・評定のモデレーションを行う。

6. 能力構築の取り組みの焦点を、さらには教授と学習のプロセスの中心を、生徒に――何が本当に重要なのか、どのように成功をつかむのかに――据えるように学習を活用する。

各コンピテンシーごとに、ディープラーニングがどのようなものなのかを記述することによって、私たちは6Csそれぞれに「ディープラーニング・プログレッション」を作成した。その目的は次のとおりである。

● 変化するプログレッションの各レベルにおいて、学習がどのような姿を見せるのかを記述する。

● ディープラーニングの成果の育成と測定に関する共通言語と共通の理解を提供する。

● ディープラーニングの6つのコンピテンシーそれぞれの発達に関して、生徒の進捗状況を測定し追跡する。

「ディープラーニング・プログレッション」において、ディープラーニングの各コンピテンシーは複数の側面に分けられ、それらが6Csの成功に寄与するスキル・能力・態度の全体像を提供するために組み合わされる（図表9.1参照）。ディープラーニング・プログレッションは、各側面の「不足」「発現」「進展」「加速」「習熟」のエビデンスを示す生徒の学習状況を記述したものである。教師は生徒の発達のレベルを、ディープラーニング・プログレッションの記述と、検討・統合された多様なエビデンスに基づいて測定する。

第9章

New Pedagogies for **Deep Learning** A GLOBAL PARTNERSHIP

図表9.1 [1/3] コラボレーションのラーニング・プログレッション

コラボレーションのディープラーニング・プログレッション

チームの活性度と課題を効率的に管理する、一緒に本質的な決定を下す、他者の学習から学び、他者の学習に貢献するなど、強固な対人スキルとチーム関連スキルを用いて、チームで相互に依存しながら、また相乗効果を発揮しながら取り組む。

側面	不足	発現	進展	加速	習熟
チームとして相互に依存しながら取り組む	学習者は学習タスクに個々に取り組むか、2人またはグループで実現できるタスクの実現に協力するが、実際に協力するわけではない。 学習者は一部の論点や内容について一緒に議論することもあるが、重要な実質的な決定（プロセスの運営の仕方など）はスキップするので、それがコラボレーションの進捗に大きなマイナスの影響をもたらす。	学習者は2人またはグループで協力し、グループが取り組みを実現できる形で協力して作業を進めるが、この段階では、タスクは2人の強みや専門知に十分に合致していない場合もあり、グループメンバーの貢献度は等しくないこともある。 学習者はいくつかの決定を一緒にすることになるが、最も重要な実質的決定は、まだ1人または2人のメンバーに委ねられがちである。	学習者はどのようにしてタスクをチームメンバーの個々の強みに合わせるかと専門知に合わせて一緒に決定し、続いて2人またはグループで効果的に協力して作業する。学習者は重要な論点、問題、プロセス、解決策に関する共同での決定や、チームとしての解決策の考案に、すべてのメンバーを関与させる。	学習者は相互に依存しながら、実質的な決定をアイデアを適切にすり合わせてアイデアと解決策を考案するので、各人の強みを最良の形で各人の強みを利用してグループで効果的に協力するよう協力する。明確に説明できる。 学習者それぞれの貢献が織りなすアイデアについて、包括的なアイデアにつながったり成果が生み出されたりするので、相互に依存するとに、相互に依存するチームワークがはっきりとみてとれる。	学習者は各チームメンバーの強みを利用するだけでなく、そうした強みを土台にして新しいスキルを獲得する機会を各自にもたらす形で、相互に依存しながら効果的な相乗効果のためのアプローチを行動で示す。 それには、各チームメンバーの強みや見方が取り入れられ、全員にとって有益であり考えうる最良の決定に至るような深い水準で、実質的な決定が議論されるよう徹底されることが含まれる。
対人スキルとチーム関連スキル	学習者は共同作業の成果物や成果に責任のあるタスクで助け合う場合もあるが、対人スキルとチーム関連スキルはまだ顕在化していない。学習者はまだ真の共同や協力し合うための共通の目的を示していない。	学習者は取り組みに対して集団的な当事者性としての意識を報告し行動で示す。また、対人スキルとチーム関連スキルもある程度みられる。焦点は依然として共同の成果、成果物、デザイン、対応、決定を実現することにあるが、重要な決定は1人または2人のメンバーがくだしたり方向づけたりすることがある。	学習者が適切な対人スキルに取り組みに対する集団的な当事者性を示すだけでなく、対人スキルとチーム関連スキルを積極的な共同責任感も顕在化する。最初から取り組みの目的、内容、プロセス、デザインについて効果的に傾聴し、交渉し、意見をまとめる。	学習者は取り組みとその成果物または成果に対する共同責任が、タスク全体に及んでいることを明確に説明できる。傾聴、促進、効果的なチームワークのための強固なスキルによって、すべての意見が聞かれ、取り組みの方法や取り組みの成果物に反映される。	学習者はコラボレーションのプロセスが可能な限り効率的に機能し、各人のアイデアと専門知を最大限に生かし、取り組みの成果物または成果がそれぞれ可能な限り高い質または個人としても集団としても積極的に責任を担う。個人が価値を持てるようにするため、を負う。

第9章

第9章

図表9.1 [2/3] コラボレーションのラーニング・プログレッション

側面	不足	発現	進展	加速	習熟
社会的スキル、情動的スキル、異文化間スキル	学習者は自己について、また自分の行動が他者にどのように影響するのかについて、基本的な自覚は有している。場合によっては、それが建設的な関係を築くことを妨げとなる恐れがある。	学習者は自分が何者なのか、世界のどこに居場所があるのか、自分の行動がどのように他者に影響するのかについて、認識を高めつつある。この自己認識によって、自分のものの見方とは異なる他者の感情や視点をよりよく理解するための基盤が形成され始める。	学習者は自分が何者なのか、自分の視点がどこから生じているのかを十分に認識している。注意深く耳を傾け、他者の視点や認識に共感し、「習得」や「習熟」に留まらず、自分の異なる視点を心から価値づけることができる。	学習者は強い自己意識を有しており、自分の視点がどこから生じているのかを理解している。このように異なる視点にとどまらず、他者の感情や視点を深く理解し共感している。注意深く耳を傾け、他者の感情や視点に共感し、それらを用いて自己の感情や視点を豊かにする。チームのメンバーとして、自分だけではなく他者も同様に支え、励まし、成長させるやり方で効果的に取り組む。	学習者は明確な個人的アイデンティティと文化的アイデンティティの意識に根差し、高度に発達した社会的スキルと情動的スキルを有している。文化や学問分野を越えて適切なコミュニケーションを取り、建設的な関係を築く効果的な発達に取り組み、視点取得と共感における自分の行動の変化を明らかにし、他者の視点による自分の行動の変化を明らかにする──お互いその結果による理解──およびチームの機能を向上させる。
デジタルの活用	学習者はタスクに対してデジタル要素をある程度利用するが、非常に浅いレベルである。コラボレーションの質と成果に実質的には寄与しない。	学習者はデジタル機会を利用して、そうでなければなされなかった取り組みを、一緒に、であろう形で、取り組みを推進するが、協働プロセスを大きく深めることにはなりにくい。	学習者はデジタルの側面を効果的に利用して、相互に依存する取り組みを促し、フィードバックを迅速化し、イノベーション・サイクルを加速させ、メンバー間のコラボレーションの本質を深める。	学習者はデジタル要素の導入がどのように相互依存を促進し、コラボレーションの本質を深め、より適切な共同責任感を築き、実質的な決定を一緒にすチームの能力を改善してきたのかを明確に説明できる。	学習者はコラボレーションの質を深め、イノベーションを促進する強力な方法で、タスク全体を通じてデジタル要素を普遍的に利用する。学習者はそれぞれのデジタル要素がどのようにチームの学習を加速させ強化してきたのかについて、詳細を明確に説明でき、その理解を別の新しい状況に応用することができる。

図表9.1 [3/3] コラボレーションのラーニング・プログレッション

側面	不足	発現	進展	加速	習熟
チームの活性度と課題を管理する	学習者は次の2つのいずれかの判断で、チームの課題の取り扱いを誤る。 (1) 自分の視点に深く傾倒し、他者の話を傾聴したり他者から学んだりするための共感を欠くので、判断を保留して他者の視点に心から目を傾けるということが困難である。 (2) 自分の視点を伝える代わりに他者の視点に従うことで対立を避けるか、また不適切なピアプレッシャーに直面して簡単に自分の視点を変えてしまう。 その結果、チームは対立にはまり込んだり、誤った方向やチームが共有していない方向に進んだりしかねない。	このレベルでは、学習者は作業上の建設的な関係を築きを維持するために、また不適切なピアプレッシャーに対抗するために、まだ指導を必要とする。意見の不一致に対処する際に、これまでよりもよく考えたアプローチを取り始め、各メンバーに視点を話してもらい、どのような相違点についても話し合うようになる。そうした相違点を掘り下げて、それらを支える根拠を明らかにしようとし始めるばかりであるため、不必要な対立に陥らずに問題を効果的に解決するまでにはなかなか至らない。	学習者は一般的にかなり効果的にチームで作業を行うが、対立の解決や不適切なピアプレッシャーなどの困難な問題に関し、ときどき指導が必要になる。自分の視点や他者の視点を支える根拠を突き止める能力を伸ばしつつある。自分の視点を明確かつ丁重に述べて、他者の話を傾聴したり他者から学んだりすることが上達し始めている。比較的小さな論点について詳しく議論することで「チームの進歩を妨げることのないよう、論点をよりよく選ぶ必要がまだある。	学習者は自分の視点と他者の視点を支える根拠を突き止めることがさらに上達している。適切な論点を選択して話し合うべきことを決定する。勇気を持って明確に自分の視点を伝え、他者の話を傾聴し、他者から学ぶことができるようになっている。チームの進歩を妨げることなく他者の学習に貢献するようなやり方で、異なる意見を考察できるようになっている。	学習者は自分の視点と他者の視点を支える根拠を深く理解しており、自分の視点を効果的に表現する勇気と明確さを持ち、他者の話を傾聴し他者から学ぶ共感を身につけている。自分と他者の学習を豊かにするようなやり方で、異なる意見を尊重しながら考察し、チームが決めた方向に進むことを可能にする。

出典：McEachen, J., & Quinn, J. Collaboration Deep Learning Progression. Copyright © 2014 by New Pedagogies for Deep Learning™ (NPDL).

第9章

ディープラーニングのデザイン

　第5章と第6章では、ディープラーニングのデザインの4要素と、各要素がディープラーニング経験のデザインと実施においてシームレスに統合されなければならないことを論じた。このプロセスに役立つ3つのツールを以下に挙げる。

1. **新しい教育法の学習デザインプロトコル**（New Pedagogies Learning Design Protocol）：協働探究サイクルと併用することで、ディープラーニング経験のデザインにおいて教師を支援する。

2. **新しい教育法の学習デザインルーブリック**（New Pedagogies Learning Design Rubric）：変化するプログレッションの多様なレベルにおいて、ディープラーニング経験がどのようなものなのかをディープラーニングのデザインの要素ごとに説明する。ディープラーニング経験のデザインについての評価を容易にし、ディープラーニング経験の再デザインを支援する。

3. **教師自己評価診断**（Teacher Self-Assessment Diagnostic）：ディープラーニング経験のデザインにおいて、教師が強みのある分野と改善が必要な分野を明確化するのに役立つ。

　教師は選択したディープラーニング経験をデザインし、実施し、評価し、振り返った後、「ディープラーニング・イグゼンプラー」——学習のデザイン・実施・評価・成果の実例で、ディープラーニングがどのように展開し、実践中はどのような様子なのかを示す——を作成し、共有する。イグゼンプラーは記録資料、文章または画像による説明や振り返り、動画、写真など、生じたディープラーニングを説明し描写するためのあらゆる形態で共有される。それらをまとめることで、ディープラーニング・プログレッションの各レベルにおけるディープラーニングがどのようなものなのかを説明し、生徒のためにディープラーニングの成果を加速させる新しい教育法を集団で特定しやすくする。

　教師からイグゼンプラーによって提供される豊富で多様な情報により、イグゼンプラーはそれ自体が強力なツールとなっている。それは、ディープラーニングの尺度とツールの利用例を明示し、ディープラーニングの成果を伸ばす際に教師がどのように成功に結びつけているのかを説明するものでもある。

初期の知見

6Cs

　「ディープラーニングのための新しい教育法（New Pedagogies for Deep Learning, NPDL）」では、NPDLの参加者をそれぞれのディープラーニングの

行程で支援することを目的として、協働学習とデータ収集のプラットフォームである「ディープラーニング・ハブ」の参加者から、「新たな尺度（New Measures）」に関するデータを収集している。すべてのデータは、その知見がNPDL全体で共有されることにより、教室、学校、クラスター、システム、および世界レベルでディープラーニングの取り組みに寄与することを期待して収集されている。2016年、NPDLは初の報告書『グローバル・レポート（*Global Report*）』（New Pedagogies for Deep Learning, 2016）を発行した。その目的は、世界のディープラーニングのベースラインについて、世界中のNPDL参加者から得られた発言、取り組みの実例、およびその他のデータによって実証されたものとして、説明を提供することであった。報告書はまた、ディープラーニングの展開に関連する条件、実施上の課題をうまく乗り越える方策、生徒と教育者に対するディープラーニングの影響に関して、初期の知見を明らかにしている（New Pedagogies for Deep Learning, 2016）。報告書は毎年発行される予定で、このベースラインからの進展を測定し、ディープラーニングの影響を世界的に拡大することを目指している。

　NPDLの参加者が新たな尺度に取り組み始めてまだ初期の段階にあるものの、ディープラーニングのコンピテンシーに関する初期の知見として、以下のものが挙げられる。

　　世界のベースラインとして、生徒のディープラーニングのコンピテンシーの発達レベルは、……一般的には「発現」の段階であり、したがって学習をデザインし実施する従来の方法は、ディープラーニングの成果を効果的に育んでこなかったということがわかる。生徒のディープラーニングの進展を測定した結果は、6Csの育成にNPDLのツールとプロセスが与える影響を実証している。(NPDL, 2016, p. 1)

　ディープラーニング・プログレッションの評定結果を収集することで、生徒と学校の成果に関する豊富な情報が明らかになる。教師からはディープラーニング・プログレッションの各側面の評定結果とともに、特定のコンピテンシーに関する各生徒の全般的な発達についての評定結果も提供される。図表9.2は、6Csそれぞれの総合評定をプログレッションの各レベルの割合で示しており、これがベースラインとなる。

　6Cs全体をみると、50％を超える生徒が、ディープラーニングの各コンピテンシーに対して、「不足」または「発現」のエビデンスを示していると評価された。ベースラインとして、生徒がプログレッションの最も高いレベルを示したコンピテンシーは、「クリエイティビティ」と「クリティカルシンキング」である。世界的にみて、以前は浅いレベルであったかもしれないこれらのコンピテ

図表9.2 ディープラーニング・プログレッションの評定結果

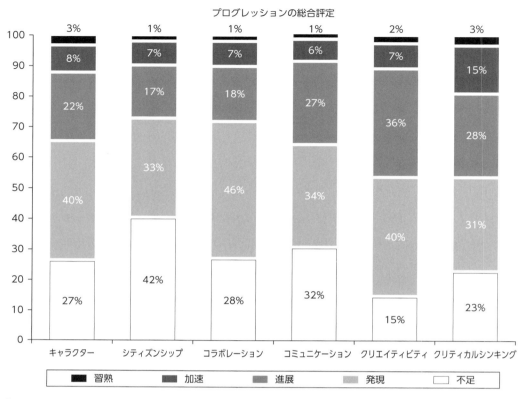

プログレッションの総合評定

| | 習熟 | 加速 | 進展 | 発現 | 不足 |

出典：Copyright © 2014 by New Pedagogies for Deep Learning™（NPDL）

ンシーへの取り組みを枠づける言語をようやく得たことで、参加者は一様に大きな影響を受けてきた。たとえば、クリエイティビティについて深く理解し話し合うことができるようになったことで、教師は学習者の創造的潜在能力を最大限に引き出すように学習経験をデザインし、学習環境を構築するのが容易になっている。こうした新しい機会をみて心が躍るのは、クリエイティビティが「カタリスト（触媒）のC」となって、有意味かつ創造的な方法で他のコンピテンシーを育む生徒の能力を支えているということである。クリティカルシンキングを測定するのは複雑で、それ自体、別の能力として広範に議論されているが、深いレベルでは広く取り組まれていない。そのため、参加者は最初からこのコンピテンシーに重点を置き、有意味な知識を構成し、それを現実世界で応用できる学習者を育てようとしてきた。

「シティズンシップ」を例外として、他のすべてのコンピテンシーにおいて、最大数の生徒がプログレッションの「発現」レベルと評定されていることがわかる。世界的にみて、「シティズンシップ」のコンピテンシーはベースライン

の評定結果が最も低く、評定を受けた生徒の75％が「不足」または「発現」レベルにあり、42％が発達を示すエビデンスが「不足」していると評定された。NPDLは「シティズンシップ」を、グローバル市民として思考し、他者を思いやり、多様な価値観と世界観への深い理解に基づいてグローバルな問題を考察し、人間と環境の持続可能性に影響を与える曖昧で複雑な現実世界の問題を解決するための真の関心と能力を持つことと定義している。「シティズンシップ」のコンピテンシーの側面全体をみると、生徒は人間と環境の持続可能性への純粋な関心において最も高いレベルの進捗状況を示し、グローバルな視点の発達において最も低いレベルの進捗状況を示した。地球規模の持続可能性とその成功に影響を与える問題は、世界中の学習者の生活に意味を持ち、関心を引き起こす。こうした関心を育み、生徒がグローバルな視点を磨くのに役立つ学習は、生徒が自分自身の生活とグローバル社会にとって意味のある問題を理解し、解決するのを支えるだろう。

　シティズンシップが世界的なつながりと認識の高まりを受けて、教育において新たに重視され始めたものであるのに対し、協働学習は長らく教育の要であった。しかし、ベースラインの総合評定をみると、「コラボレーション」のコンピテンシーにおいて、生徒の74％が「不足」または「発現」のレベルであり、46％が「発現」のレベルであることがわかる。生徒は日常的に協働することもあるが、深く協働する全般的な能力はまだ発現し始めたところである。習熟したコラボレーションは、グループの成果物の質のみに依拠するのではない。チームの活性度と課題を管理し、グループの実質的な決定を下し、他者の学習から学び、他者の学習に貢献する生徒の能力も含む。はじめに概念化したように、従来の教授と学習のプロセスでは、ディープラーニングの成果は育成されておらず、その育成には新しい教育法によって深められた学習経験が必要なのである。

　次の事例はあるNPDL参加校グループの知見を検討したものである。そこでは、生徒のコンピテンシーの発達状況を学習プロセスの複数の時点で測定して、ディープラーニングの成果の育成における生徒の進捗状況を追跡している。

事例：ディープラーニング・プログレッション

　ベースラインデータが収集されたため、NPDLは今後ベースラインに関する全般的な動向と、個々の学習者の進捗状況を学習プロセスの複数の時点で測定することになるだろう。この時点までに集められたほとんどすべてのデータが、生徒の進捗のある特定の時点を測定したものであ

第9章

るが、あるNPDL参加校グループ（ここでは「地域A」と呼ぶ）の複数の教師は、ディープラーニングの行程の始めから、NPDL導入後の最初の1学年度の終わりまで、学習者のディープラーニングの進捗状況を評定した。

　6Csのそれぞれについて評定を受けた157人の生徒のうち、73％を超える生徒がディープラーニングのコンピテンシーの発達において進捗を示し、21％を超える生徒の評定結果が、プログレッション上で2レベル以上向上した。「シティズンシップ」——学習者の発達のベースラインにおいて、世界的に不足のレベルが最も多かったコンピテンシー——の評定を受けた生徒は、このコンピテンシーの発達で大きな成長を経験した。1年間のデータを有する46人の生徒のうち、93％以上が「シティズンシップ」のディープラーニング・プログレッションにおいてレベルが向上し、37％を超える生徒が複数レベルの進捗を示した。

　地域Aにおける成長は、NPDLへの1年足らずの参加で経験され、生徒が成功するために必要なコンピテンシーの育成に、新しい教育法における学習が与えた効果を表している。

　こうした効果は、教師によるディープラーニング経験のデザインと共有に明確に示されている。以下では、この新しい教育法に関する議論に目を向けよう。

新しい教育法

　ディープラーニング・デザインの4要素——教育実践、パートナーシップ、学習環境、デジタルの活用——は、NPDLの参加者によって、新しい教育法をディープラーニング経験のデザインに組み込む教師の能力の中核として重視されてきた。

　教師のディープラーニング・イグゼンプラーから集めたエビデンスには、各要素の重要な学習が示されている（図表9.3参照）。

　ディープラーニング経験のデザインは、単にディープラーニングの成果を伸ばすだけではない。たとえば、1) ディープラーニング・プログレッションと、ディープラーニングを測定するための多様なエビデンスの併用、2) ディープラーニングとカリキュラムのリンクなど、NPDLのなかで発達上の焦点として特定された分野において教師を支援することでも、ディープラーニングの成果を伸ばすのである。

図表9.3　ディープラーニング・イグゼンプラーが示すエビデンス

教育実践	学習パートナーシップ
●新しい教育法による学習デザインに共通する要素には、以下の3つが含まれる。(1) 生徒・教師・家族・地域住民による協働デザイン、(2) ピアフィードバックなどのフィードバックとともに、グループがグループのために設定した成功基準を利用した、学習プロセスの複数の時点における成長と学習に対する生徒の振り返り、(3) 生徒の生活と世界をつなぎ、それらに変化を引き起こす教科横断的学習。 ●教師は、ディープラーニングのコンピテンシーを育むとともに、その他の多様な発達上の焦点を支えるようなディープラーニング経験のデザインに成功している（後述）。	●新しい教育法で生徒間に学習パートナーシップが育まれた結果、教室内と学年間でのコラボレーションと知識の共有が向上する。 ●生徒と教師が学習のデザイン・実施・測定においてパートナーとなる新しい関係性によって、生徒の主体性が強化されてきた。 ●保護者・家族・地域住民との連携によって、学習成果と生徒の参加が高まり、関係するすべての人にとっての学習となる。
学習環境	**デジタルの活用**
●学習に当事者意識を持たせると、生徒はこれまで使えなかった方法で自己の能力を育み、示す。また、自分と他者の生活にプラスの影響を与える学習に傾倒する。 ●ディープラーニングはいつでもどこでも知識とコンピテンシーの発達を促すが、それは生徒の学習が教室の壁を越えて進み、家族や地域住民によってさらに育まれるからである。 ●学習、イノベーション、振り返りの文化は、参加者全員がリスクを恐れずに挑戦し、成功と課題について振り返り、そこから学び、さらにすべての行動と決断をそれらが学習成果に与える影響を踏まえて考慮する力を与える。	●テクノロジーはディープラーニングを実現・加速させる。新しい教育法での教授は、すべての学習者にとってディープラーニングの成果を真の意味で促進する。 ●最も焦点が置かれるのは、テクノロジーそのものの高度さや複雑性ではなく、それらをどのように活用して学習経験を深めるかという点である。 ●デジタルテクノロジーの有効活用は、新しい教育法による学習デザインの他のあらゆる要素を強化する。地理的位置に関係なく、生徒と地域の専門家とのディープラーニングのパートナーシップを促進する。豊富な学習のデザイン・実施の機会を実現する。生徒が教室の内外で自分たちの学習を主導する能力を支える。

出典：Copyright © 2014 by New Pedagogies for Deep Learning™（NPDL）

ディープラーニングを測定するための評価エビデンス

　ディープラーニング・イグゼンプラーの形で提出されたディープラーニング経験の説明では、教師はその経験の間に用いた評価に関する情報とともに、経験の前と後でのプログレッションの評定を含めていることが多い。

　NPDLオーストラリア・クラスターからの例では、ブラウアー・カレッジの生徒がディープラーニング経験に参加し、協働で「からくり装置（ルーブ・ゴールドバーグ・マシン）」の設計に取り組んだ。用いられた評価方法は次のとおりであった。

- 生徒は社会的・認知的なコラボレーションのスキルを評価するため、「自己評価シート」に記入した。

- 生徒はオンライン掲示版ツールの「パドレット（Padlet）」を利用して、コラボレーションについてすでに知っていることと、それがグループワークとどう

違うかを伝え合った。

- 進捗状況を示すビデオ映像。

- 観察を通じて仲間のデザインに貢献した。

- Googleドキュメントと一緒に、生徒がコラボレーションを順調に進めるのに有用な6段階プロセスの「ソリューション・フルエンシー（Solution Fluency）」を利用した。

- 教師と生徒が利用した評価ルーブリック。

- 個人とグループによる振り返りタスク。

- NPDLのコラボレーションに関するディープラーニング・プログレッション。

- コラボレーションに関するディープラーニング・プログレッションの生徒版を用いた、生徒による自己評価。

- 最も創造的でイノベーティブな「からくり装置（ルーブ・ゴールドバーグ・マシン）」への生徒の投票。

　こうしたディープラーニング・イグゼンプラーは、生徒のパフォーマンスをよりよく理解し、ディープラーニングをよりよく測定するうえで、教師が多様な評価方法とアプローチを用いる際に、ディープラーニング経験がどの程度教師の支えとなるのかを実証している。

　図表9.4と図表9.5は、NPDLカナダ・クラスターによるイグゼンプラーであ

図表9.4　経験前のイグゼンプラー

指標となる生徒──事前評価

評価対象のCにチェック □ クリエイティビティ　　□ クリティカルシンキング □ コミュニケーション　　□ キャラクター ☑ シティズンシップ　　　□ コラボレーション 採点：1─不足　2─発現　3─進展　4─加速　5──習熟			
生徒の氏名／ 識別番号	**性別**	**生徒の 事前評定値**	**グローバルな視点**
927252035	女	2	●グローバルな問題への自分の家族の関与についてグループメンバーに紹介（クリスマスにアフリカの1家族のためにチキンを購入）。グローバルなつながりについては理解していたが、こうした行動のより大きな意味については明確に理解していないようであった。
927252036	男	1	●個人的体験（アースレンジャーなど）とつなぎなら、他者の経験も対話に乗せるようにしていた。彼の最初のつなぎ方は世界の問題に対する理解に深く根差してはいなかったが、世界の問題に対する対話をある程度は促した。

出典：Denyes, K.（2016). An Adventure With Air and Water［NPDL Exemplar］

図表9.5　経験後のイグゼンプラー

指標となる生徒――事後評価

評価対象のCにチェック			
☐ クリエイティビティ		☐ クリティカルシンキング	
☐ コミュニケーション		☐ キャラクター	
☑ シティズンシップ		☐ コラボレーション	

採点：1――不足　2――発現　3――進展　4――加速　5――習熟

生徒の氏名／識別番号	性別	生徒の事後評定値	グローバルな視点
927252036	男	4	●世界の出来事を我が事のように感じ、学習に関連する新しいエピソード（温暖化とそれが極地の氷冠に与える影響など）を共有することで、経験とより大きな状況をつなげた。 ●深い思考を示し、クラスでの対話を広げる質問をした。 ●教室で出た質問に対し、自主的に追跡調査をして答えた。 ●学習したことを家に持ち帰った（地球に影響を与えるような習慣を変えるよう家族に促した）。

出典：Denyes, K.（2016）. An Adventure With Air and Water［NPDL Exemplar］

り、ディープラーニング経験のエビデンスが、シティズンシップの一側面（グローバルな視点）における学習者の成長を測定するために、「シティズンシップ」のプログレッションと併用されていることを示している。これは、スターリング・パブリックスクールの教師、ケリー・デニスによるイグゼンプラーであり、「空気と水との冒険」というタイトルが付されている。

ディープラーニングとカリキュラムのリンク

　ディープラーニングに関する初期の取り組みにおいて、重視し反映させるべき主要な点のひとつは、ディープラーニングの概念とプロセスを地方や国のカリキュラムとリンクさせる、つまり連携させることである。実際、最近の州や国のカリキュラムでは、グローバル・コンピテンシーがその優先事項の中核として位置づけられるようになった。いくつか例を挙げると、オーストラリアのビクトリア州、カナダのブリティッシュ・コロンビア州、フィンランド、カナダのオンタリオ州、ニュージーランドなどがある。こうした新しいカリキュラム文書では、コンピテンシーの実践方法についても、さらに言えばそれらの評価方法についても、あまり詳しく述べられていない。そこで、NPDLの出番となる。NPDLの参加者は、NPDLの焦点とツールが、こうした新しい国や州のカリキュラム文書や目的とのリンクを見出すのにどれほど役立ったかを語っている。要するに、ディープラーニングは新しいカリキュラムの優先事項にマイナスに作用するのではなく、それらと連携し、プラスに作用するのである。カナダとフィンランドの例を2つ挙げよう。

図表9.6　イグゼンプラー：優れたコミュニティをつくるには
（カナダ、ミルグローブ・パブリックスクール、教師：ジョディ・ハウクロフト）

協働探究の振り返り——測定・振り返り・変革

カリキュラムへのリンク：

社会科

人と環境：ローカル・コミュニティ（1年生）
　　B2は社会科の探究プロセスを利用して、人と地域社会のさまざまな自然的・人工的特徴との相関関係のいくつかの側面について調べる。その相関関係の短期的・長期的にみて重要な影響に焦点を当てる。

グローバル・コミュニティ（2年生）
　　B2は社会科の探究プロセスを利用して、特定のコミュニティの自然環境（気候など）と、そこで暮らす人々の生活様式との相関関係の複数の側面について調べる

理　科

生物システムの理解——生物のニーズと特徴（1年生）
　　1.0　健全な環境の維持に人間が果たす役割を調べる

生物システムの理解——動物の成長と変化（2年生）
　　1.0　動物が社会と環境にどのような影響を与えるのか、また人間が動物と動物の生息場所にどのような影響を与えるのかを調べる

地球システムと宇宙システムの理解——環境における大気と水
　　1.0　人間の行動が大気と水の質にどのような影響を与えるのか、また大気と水の質が生物にどのような影響を与えるのかを調べる

数学科

幾何と空間感覚
　　・位置を表す言葉を用いて物体の相対的位置を表現する（1年生）
　　・物体の相対的位置を表現・説明し、物体を地図上で説明する（2年生）

言語科

ライティング（1・2年生）
　　2.1　いくつか単純な形式を用いて短い文章を書く
　　2.5　支援と指示を得ながら、トピックについて、自分の意見と、考えられる別の意見を特定し始める

リーディング（1・2年生）
　　1.1　数種類の文学的文章、図表やイラスト（周囲の標識、看板など）を含む文章、情報文を読む
　　1.5　文章で明示および暗示された情報や考えを用いて、最初は支援と指示を得ながら、それらについて簡単な推論と合理的な予測を立てる
　　1.6　文章の見解を、自分の知識と経験、馴染みのある他の文章、周囲の世界に結びつけることで、文章についての理解を広げる

オーラル・コミュニケーション（1・2年生）
　　ペアでの意見交換、小グループ・大グループでの議論など、多様な状況での適切な発言行動についての理解を示す

保健科

身体の安全と外傷予防（1年生）
　　C3.1　家庭、地域、屋外での潜在的な危険に関する知識を利用して、多様な状況で自分と他者の安全を保ち、怪我を防ぐ方法についての理解を示す

身体の安全と外傷予防（2年生）
　　C.1.1　家庭での身体の安全性を高める実践についての理解を示す

出典：Howcroft, J.（2016）. What Makes a Great Community?［NPDL Exemplar］

第9章

図表9.7　デジタルの活用とアート
（フィンランド、キビニエミ小学校、教師：アンネ＝マリー・イロ、マーリト・サーレンクンナス）

サブタスク：概要　　同じアルファベットはひとつのタスクを示し、それがひとつの教科から別の教科への連続性を作り出す。				
ICTとアート	**フィンランド語**	**英語**	**地理学**	**学ぶことの学習、思考スキル、社会的スキル**
a. インタビューの撮影と編集	a. インタビュー原稿の作成	a. 協働で作成した質問プール	a. インタビュービデオ	自分の強みを見つけ、それを学校のワークに利用する
b. OneNoteを使った協働作業	b. OneNoteを使った協働作業	a. インタビュー原稿の作成	b. OneNoteを使った協働作業	学校のワークで積極的役割を見つける
c. ビジュアル・プレゼンテーション（パワーポイント）	c. オーラル・プレゼンテーション	a. インタビュービデオ	c. プレゼンテーション（口頭および文章）	ワークに喜びを見出す
e. 情報検索		d. 人物に関する文章とビデオでのプレゼンテーション	d. 人物に関するビデオプレゼンテーション	計画立案を学び、粘り強さを身につける
g. シンメトリー・ドローイング			e. 情報シートに関するピアワークからの情報収集	コラボレーションとコミュニケーションのスキルを磨くことを学ぶ
			f. アクティビティブックとノートブックのタスク	自己評価とピア評価を実践する

出典：Ilo, A., & Saarenkunnas, M. (2016). Europe［NPDL Exemplar］

　図表9.6は、カナダのディープラーニング・イグゼンプラーから引用したものである。カリキュラムの明確な焦点と直接的にリンクしており、カリキュラムの多様な分野をカバーしている。図表9.6で数字やアルファベットが表す記号は、カナダ独自のカリキュラム文書の内容を示しており、コンピテンシーに合わせてカリキュラム要件にどう対処すべきかを明らかにしている。

　2つ目の例はフィンランドの新しいナショナルカリキュラムに関するものである（図表9.7）。フィンランドのNPDLのリーダーたちは、「キャラクター」「コラボレーション」「コミュニケーション」のコンピテンシーの重要側面を育む方法と関連づけながら、カリキュラムの各重点分野と評価を対応させた。

　この例では、デジタルテクノロジーの活用によって、生徒と教師の間で協働学習を促すシームレスな教科横断型の学習の機会がもたらされている。

　「新たな尺度」で用いられている用語は、個々の国と学校の状況において共通の理解を提供するだけでなく、グローバル規模での実施を可能にするほどの幅の広さを持っている。そうした「新たな尺度」の適応性は、参加者がまず

そうした「新たな尺度」の適応性は、参加者がまず個々の状況において何が重要なのかを判断することを、次に前進するための道筋をデザインすることを支える。

個々の状況において何が重要なのかを判断することを、次に前進するための道筋をデザインすることを支える。多くの学校にとって、このモデルはディープラーニングを実践している学校クラスター全体での思考と実践の変革を必要とするものであった。それは参加者が過去には、適応性と文脈化の余地がほとんどない段階的な実施プロセスをもっぱら経験させられてきたからである。ディープラーニングの取り組み当初には、ベストプラクティスもアプローチもともに広く知られていなかったため、参加者の積極性に依存する探索的なパートナーシップのデザインを必要とした。それは参加者がアプローチを創り、そこから学習し、その学習をクラスター内およびクラスター間で共有するというものであった。この学習の共有が具体化して、学習者、教師、その他のリーダーに変化をもたらしつつある。それについては次のセクションで明らかにする。

　ディープラーニングの取り組みは、これまで、グローバル規模でのディープラーニングの実施が可能であるだけではなく、教育システムを問わず、学習者と教育者に大きな変化をもたらしていることも実証してきた。NPDLの世界的な実施の成功は、まさにそのツールとプロセスの解釈可能性と適応性を示している。参加者は、内部でこの枠組みの実施に成功しているだけでなく、それによって、著しく幅広いシステムとカリキュラムの期待にも応えている。この行程の初期段階を通して収集したエビデンスは、ディープラーニングのためのグローバルな枠組みの実現可能性を証明しているが、参加者の経験は今後もこの先駆的取り組みのデザインと方向性に情報を提供してくれるので、実現可能性は高まり続けるだろう。

グローバルなモデレーションプロセス

　教師が自分たちの取り組みだけでなく、その結果生じたディープラーニングの成果についても記述する機会を得るうえで、ディープラーニング・イグゼンプラーが重要であることをここまで論じてきた。自分の実例を伝え、他者の実例を知れば、どの参加者もグローバル規模でディープラーニングの成果を育むのに重要な役割を担う機会が得られるだろう。必要なのは、イグゼンプラーで記述された学習経験を共有し、測定し、それを基盤とするためのプロセスであり、それによって、ディープラーニングを促すのに最も適した新しい教育法を特定し、さらに発展させることであった。

　モデレーションに参加した人たちがさまざまな学習レベルの存在を知ることにより、評定者間信頼性を確立するためのモデレーションプロセスの重要性と、取り組みのあらゆるレベルの学習に対してそれが持つ影響が浮き彫りになる。また、世界的にみても、参加者に自身の継続的な成長と発達に資する最も

有効なディープラーニングの例を提供できるよう、ディープラーニングのデザインと実例のモデレーションをきわめて重視する必要性が明らかになっている。

モデレーションプロセスを通じて明らかになった学習の他のキーポイントには、次のものがある。

● 規模や範囲を問わず、各学習経験に関して、「新たな尺度」を利用することで、教師は学習者のために成果を改善するには、どの要素を深めればよいのかを具体的に考察することができる。

● 学習が最も深くなるのは、学習が生徒の生活——自分たちは何者なのか、世界のどこに居場所があるのか、どのように貢献できるのか——と結びついたときである。学習目標にかかわらず、教師は、どのようにすれば、生徒の生活と世界を変えるために通常の学習を深めることができるのかを考える機会を持つことになる。

● 世界的なモデレーションの結果、「デジタルの活用」が、世界的に最も改善が必要な要素であることが明らかになった。デジタルテクノロジーを用いて学習者の成果を加速させようとする場合、そうしたツールが、生徒のカリキュラムへの参加と6Csの育成をどのようにして直接促すのかに焦点を置かなければならない。

まとめ

　私たちは世界各地のK-12［幼稚園から12年生（高校3年生）まで］の教育システムに、ディープラーニングがすでに定着しつつあることを実証してきた。初等学校と中等学校はディープラーニングの新たな尺度を重視し、それらと併せて幅広い評価エビデンスの組み合わせを利用することで、個々の生徒の成功についての全体像を描こうとしている。

　ディープラーニングへの広範囲の転換が直面している主な課題のひとつは、初等学校や中等学校だけでなく、高等教育との連携も形成することである（Scott, 2016; Tijssen & Yegros, 2016）。生徒をテストの点数やその他の標準化された尺度で比較するほうが、生徒がどのような人間なのか、テストの点数以外に何を成し遂げてきたのか、何ができるのか、他者の生活や世界にどのように貢献したいと考えているのかといった、多様なエビデンスを利用するよりも容易である。重要な問題は、生徒の成功と可能性を示すひとつの指標を超えて、本当に重要なことに着目して理解する方法である。入学者選抜プロセスがより公平になるのは、生徒が学んだことを証明する機会が同等に少ない場合ではなく、多様で広範な方法で示す機会がある場合である。

　ディープラーニングはそのための機会を提供する。NPDLの1人のリーダーは次のように述べている。

　[ディープラーニングがあれば] 生徒はさまざまな方法で聡明かつ優れた人間になるが、従来の学校は必ずしもそうした機会を提供しているとは限らない。NPDLは、すばらしい人間になり、持っている才能を発揮するというチャンスをすべての子どもに与える。生徒をどのようにみるかは、成功するために生徒に与える機会に応じて変化していく。

　つまり、ディープラーニングの次のフロンティアのひとつは、中等教育での進展を、中等後教育分野での新しい教育法と評価につなげることであるが、それについては別の本で取り上げるほうがよいだろう。

　本章の冒頭で概説した測定プロセスに話を戻すと、次のステップとしては、「新たな尺度」への取り組みから学習したことを利用して、これまでよりも適切に能力構築努力に焦点を合わせ、必要に応じてツールとプロセスを調整することが挙げられる。本章で詳説した学習は、ディープラーニングの次のステップに対して、これまでもこれからも情報を提供するだろう。

　「新たな尺度」は、さまざまな国の教育システムで十分に試用した後、NPDLのパートナーシップ機関が集まって、生起した学習の観点からツールを評価し見直すことを目的に形成された。私たちは今、能力構築や測定する能力を改善するとともに、ディープラーニングの成果の向上への影響を改善するために、ディープラーニングの「新たな尺度」に磨きをかけているところである。

　より大きな構図の一部として、学習成果としての6Cs——言うなればディープラーニングに取り組んできた卒業生が身につけるコンピテンシー——を評価する必要性がある。私たちはOECDと協定を結んで、OECDのグローバル・コンピテンシー——私たちの取り組みと大きく重複するコンピテンシー——の育成に関する取り組みに協力している。同じ用語が国によって異なる意味を持つことがあるため、グローバル・コンピテンシーを国際的に定義する方法について合意することはかなり困難である。こうした世界的な議論に対して、学習の進捗状況を評価するための私たちのアプローチはプラスに作用するだろう。誰もが前に進むことができるよう、成果そのものだけでなく、実際にディープラーニングを達成するための条件とプロセス——本書のテーマ——にも、重点を置くことが不可欠である。こうした開発の進展に加わることが楽しみである。

　最後になったが、基本的なこととして、世界に関わり世界を変えるのは、非常に崇高なことである。どのような宗教的・世俗的価値観についても、ディープラーニングに基盤を見出すことができる。世界に働きかけながら世界について学ぶとともに、世界と自分を変革し、これを継続して達成していくことは、進化的なことでもあり、神聖なことでもある。

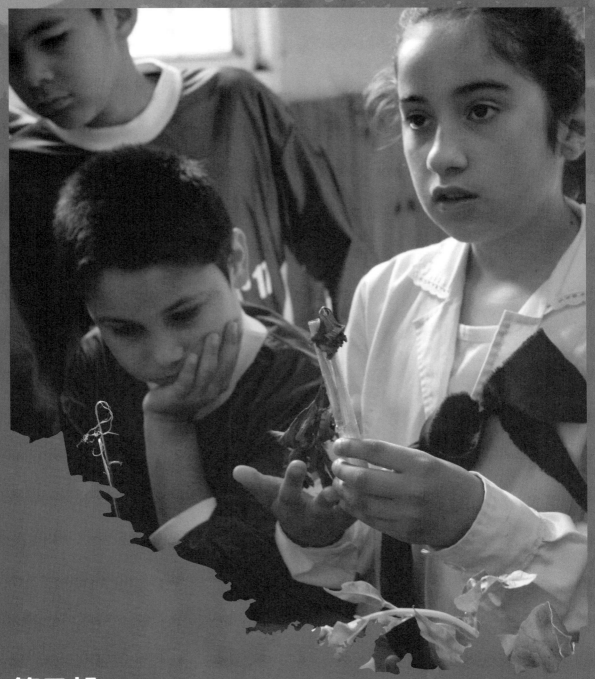

第III部
不透明な未来

ギリシャ神話に登場する、
人魚のような姿をした3人の魔物は、
近くを通る船の船乗りたちを
魅惑的な歌声で誘い寄せて、
島の岩だらけの海岸で難破させてしまう。

セイレーンか、救世主か：
ディープラーニングの「天国」と「地獄」

セイレーン

　人類全体として、数多の危険と機会を強く認識しながらも、対処法と起こりうる結果についてこれほど不確実な時代がこれまであっただろうか？ 教育の役割に関するパウロ・フレイレの助言を聞き入れる必要があるとすれば、それは今である。つまり、「世界に働きかけ、世界を変革することで、個人としても集団としても、より充実した豊かな生活という新たな可能性に向かって進んでいく」（Freire, 2000, p. 32）のである。これは他の何にも劣らないディープラーニングの目的の定義である。

　この最終章では、対処すべき2つの大きな問題を取り上げる。ディープラーニングの天国と地獄を分けるのは何か？ そしてもうひとつは、まさに大きな問題——ディープラーニングの最終的な課題、すなわち社会における不平等の拡大への対処——である。

ディープラーニングの「天国」と「地獄」

　私たちの同僚で社会学者のジャル・メータは、助成金を得て米国全土の中等学校におけるディープラーニングの事例を研究した。メータと彼のチームは、ディープラーニングの実践で知られている学校を訪問した。メータは数か月後、残念ながら真正のディープラーニングといえる事例はほとんど見つからなかったと報告した（Mehta & Fine, 2015）。続いて、彼は「ディーパーラーニング：その10の死に方（Deeper Learning: 10 Ways You Can Die）」というタイトルのブログで説明を行った（Mehta, 2016）。

　要するにメータは、ディープラーニングに取り組んでいると主張する人たちの間でさえも、現状維持によってディープラーニングが妨げられていると述べているのである。彼が発見したのは、セイレーンの魅力であった。つまり、たどり着くまではすばらしいものに聞こえるというのである。だが、私たちの経験はセイレーンとは違う。なぜなら、私たちはディープラーニングがどのようなものなのかを明確に表現し、またディープラーニングを実際に可能にして互

いの経験から学ぶための人とツールの基盤を築いたからである。メータの挙げる10の死に方と、ディープラーニングの天国に至る私たちの10の道筋を比べてみよう。

ディープラーニングの「地獄」に至る10の道筋（10の死に方）

1. 自分自身が深い、すなわちパワフルな学習を経験していなかった場合
2. 学校教育の「文法」を再考することに消極的な場合
3. 将来ではなく現在において、生徒を尊重しない場合
4. 生徒に選択を与えない場合
5. 「少ないことは豊かなこと」という考えで生活していない場合
6. 答えを知らないということを認めようとしない場合
7. 失敗を正常なこととして修正や改善の機会を作るということをやらない場合
8. 自分の担当クラスや専門分野への帰属意識を抱くよう生徒を後押ししない場合
9. 世界の向きを少し変えようとしない場合
10. ディーパーラーニングを作ることがカウンターカルチャー的な活動だと認識しない場合

ディープラーニングの「天国」に至る10の道筋

1. 平易なアイデアから複雑なアイデアへの移行
2. 個人的であると同時に集団的でもある学習
3. 関係性と教育法を変える学習
4. 専心的な学習
5. 最小必要数以上の他者と関わる学習
6. 重要な問題や課題に関連するイノベーションに基づく学習
7. 不公平と闘いすべての人に卓越性をもたらす学習
8. 世界に関わり世界を変える学習
9. 明日の市民を今日生み出す学習
10. 若者が年長者をよりよくする学習

ディープラーニングを実践に移すことは、イノベーションや新しい関係性、未知の物事の発見などを要するため、考えるよりもはるかに難しい。多くの場合、学校から疎外されている多数の生徒を参加させることが必要である。現状維持という保守主義に打ち勝たなければならない。

これまでに述べたように、システム全体でディープラーニングを可能にする政策インフラを開発している国や州はない。NPDLに参加する教師や校長、学区のリーダーの多くは、ディープラーニングの実施を阻むシステム上の障壁に

ぶつかった（評価制度、成績通知表、カリキュラムの範囲など）。いくつかの国や地域（フィンランドやブリティッシュ・コロンビア州など）が最近、ディープラーニングに有利な新しいカリキュラム政策を発表したことは注目に値する。こうした新しい領域でいかに実施するのかについて、今はまだアイデアが乏しいが、今後は変わっていくであろう。

2017年9月、オンタリオ州はディープラーニングのための枠組みと支援に向けて、大胆な政策変更を実施した。同州は新たに「公平性のための行動計画（Equity Action Plan）」を策定し、さらに、教育・質アカウンタビリティ局（Education and Quality Accountability Office, EQAO）が実施しているのと同じような形で、既存の評価慣行を見直すための外部チームを設立し、そのうえで数学やその他の教科を含めて、カリキュラムの「一新」に尽力した。最も興味深いこととして、同州は6つの転移可能なスキル（すなわちグローバル・コンピテンシー）であるクリティカルシンキング、イノベーションとクリエイティビティ、自己主導型学習、コラボレーション、コミュニケーション、シティズンシップに基づいて、成績通知表を新しくするよう指示した。「キャラクター」が「自己主導型学習」に置き換えられているものの、言うまでもなくこれらは6Csである。

他の政府も同様の方向に進んでいる。2017年10月、ニュージーランドはナショナル・スタンダードを廃止して、ディープラーニングと6Csに対応するラーニング・プログレッションなどの要素を利用する新システムを採用するという政策改革を発表した。ニュージーランドとオンタリオ州の改革が、学習成果の評価基準など、ディープラーニングを阻むシステム上の障壁を除去または削減するということは注目に値する。

こうした進展は体系的な政策インフラの構築というわけではないが、私たちの予測していることがらが、世界全体でその方向に進む力強い動きになることを示している。ディープラーニングは草の根レベルで横に広がるのみならず、政策立案者に向かって上にも伝播している。

複雑化する状況

ディープラーニングを進展させるのはますます困難になっているが、その原因として2つの外部要因がある。ひとつは米国などでの不平等の急拡大であり、もうひとつはムーアの法則（1965年に、集積回路上のトランジスタ数は2年ごとに2倍になるだろうと予想した）でさえ控えめにみえるデジタルの未来である。

第10章

都市社会学の専門家であるリチャード・フロリダは、最近、米国の都市に関する研究を終え、「都市の危機（The Urban Crisis）」と呼ぶものを描き出している。フロリダは「比較的恵まれた集団と、ほぼ平均的な人々との間で格差が広がっている」（Florida, 2017, pp. 55-56）という。この傾向と同時に起こっているのが、世代間の貧困の固定化であり、「米国の最貧地域25％で育ったアフリカ系アメリカ人の3分の2が、同じような恵まれない地域で子どもを育てている」（Florida, 2017, p. 117）。

こうした状況により、公平性の仮説は異例の緊急性を帯びてきている。つまり、卓越性を武器にした不公平との闘いをコミュニティ投資と組み合わせることで、終わりのない不成功の連鎖から人々を救い出すことができる。小規模な事例としては、それをリンウッド学区にみることができる。リンウッド学区はロサンゼルスのコンプトンに隣接しており、きわめて貧しい1万5,000人の生徒を擁する学校システムである。健康と住居などの学業以外のニーズと学校内での学習の卓越性に同時かつ重点的に取り組むことで、卒業率を90％超に引き上げた（州平均を12％上回っている）。リチャード・フロリダ（Florida, 2017）は解決策を統合して7本の柱にまとめている。そのうちのひとつは「人と場所に投資することで貧困に立ち向かう」ことである。リンウッド学区の生徒にみられるような生徒は、私たちにとっての見えない人であり、健康と住居と安全、それに学校教育への支援を組み合わせることによって、貧困に立ち向かうことに成功することができるのである。

> 卓越性を武器にした不公平との闘いをコミュニティ投資と組み合わせることで、終わりのない不成功の連鎖から人々を救い出すことができる。

要するに、コミュニティ開発と望ましい学校を結びつけて統合することが必要なのである。すべての人のためのディープラーニングに着手するやいなや、それは不平等を削減するという問題だけではなく、すべての人の成功も組み込むことになる。6つのグローバル・コンピテンシー（6Cs）——キャラクター、シティズンシップ、コラボレーション、コミュニケーション、クリエイティビティ、クリティカルシンキング——に習熟した多数の若者は、どれほどすばらしいことができるのか？ すべての子どもたちのためのディープラーニングという卓越性を通じて不平等を削減し、社会的健康の向上を見守ろう。

マカフィーとブリニョルフソンが「デジタルの未来を利用する（*harnessing our digital future*）」（McAfee & Brynjolfsson, 2017）で述べていることは、また別の問題である。人間をよりよくする（あるいは破滅させる）ための陰謀であるかのように、ディープラーニングの能力を育成する重要な理由が増え続けている。マカフィーとブリニョルフソンは「マシン（machines）」と「プラットフォーム（platforms）」と「クラウド（crowds）」の爆発的で相互作用的な発展について分析している。マシンはデジタル機器が持つ拡張的な能力で構成され

る。プラットフォームは情報の組織化と流通を伴う。クラウドは「世界中に分散しており、今ではオンラインでアクセスして活用することが可能になった、驚くほど膨大な人間の知識、専門知、情熱」（McAfee & Brynjolfsson, 2017, p. 14）を意味する。そして、著者らはこれらの3つの力をそれぞれペアにまとめている。「知性とマシン」「モノやサービスとプラットフォーム」「コア［既存の知識と能力］とクラウド」（McAfee & Brynjolfsson, 2017, p. 18）である。著者らは、成功する企業とは、この新しい3つのペアを取り入れ、利用して、今日とは大きく異なる方法で物事を行う企業であると述べている。控えめに言っても複雑だ——とはいえ、ロボットに助けを求めるつもりは毛頭ない！

　要点はこうである。

　　そうした［新しい］取り組みを実施せず、現在の技術や組織の状況に固執すれば、蒸気機関に固執していた者たち……と本質的に同じ選択をしていることになろう。そして最終的に、同じ運命をたどることになろう。（McAfee & Brynjolfsson, 2017, p. 24）

　これは私たちがディープラーニングについて述べてきたほとんどのことを正当化し、未知の世界に投影するものである。公平性の仮説に通じる「見えない人たち」のドアを開け、通常の学校教育の基盤を揺るがし、私たちが定義してきたディープラーニングの拡大を促す。もちろん、エルモア（Elmore, 2016）の指摘は妥当なものであって、一般に知られている学校教育という制度は、こうした新しい状況下では、ひょっとしたら生き残ることができないのかもしれない。それでも私たちは、学校、生徒、親やその他の保護者、および教育者がグローバル・コンピテンシーを育み、世界をよりよくするための変革に取り組むことで、この「未知の将来」に向けて有利なスタートを切ることが賢明であると考える。

　見えない人たちという現象を明らかにする単純だが劇的な例をひとつ挙げておこう。マカフィーとブリニョルフソンによると、フロリダ州ブロワード郡では、優秀児の認定が、親と教師の推薦によって行われていた。ブロワード郡ではほとんどの生徒がマイノリティであったにもかかわらず、優秀児向けの授業を受ける子どもの56％が白人であった。学区は客観的な基準に基づくある方法に転換した。学区のすべての子どもに、非言語知能テストを受けさせたのである。「経済学者のデビッド・カードとローラ・ジュリアーノの調査記録によると、このひとつの転換の結果は驚くべきものであった。アフリカ系アメリカ人では80％、ヒスパニック系では130％多くの生徒が優秀児と認定されたのである」（McAfee & Brynjolfsson, 2017, p. 40）。

第10章

　マシン、プラットフォーム、クラウドへの依存を高めると、人間によるバイアスが減る。別の言い方をすると、6Csは、デジタル世界において物事を成し遂げるために必要となる人のつながりに不可欠である。私たちのディープラーニング・モデルは、マカフィーとブリニョルフソンの言葉を借りると、学習者が「クラウド」にアクセスして相互作用することを可能にする。

> 相互に接続したコンピュータの能力が世界中に広がり、それを土台として有益なプラットフォームが構築されてきたことで、クラウドは明らかに実用的で重要な資源になっている。(McAfee & Brynjolfsson, 2017, p. 259)

それでもまだ学校やそれに類するものが必要だろうか？

　テクノロジーによって可能になったクラウドに学校が敗れる可能性があるとしても、まだ学校は必要なのだろうか？　現在の形態の学校が必要だと言うことはできないが、自信を持って言えるのは、ディープラーニングを検討した結果、本当に必要なものが明らかになっているということである。それは何らかの形で協調性があり、物事をきちんとやる、6Csに習熟した学習者である。

　協調性が求められる理由を別の言葉を借りていうならば、人は互いを必要とし求め合うということであり、これは本書の最終的な結論でもある。人が社会的な種であることを結論づける十分な神経科学的エビデンスがある。社会的に発達する能力は生活経験に応じて増幅または抑制され、それが個人にも集団にも大きな違いをもたらす。

　いずれにせよ、将来は不安定で未知である。急成長している中国のインターネット巨大企業のテンセントは、現在を「野生の生まれ」(The Internet challenge in China: A case study of Tencent, 2015) と表現しているが、そのような現在のイメージを私たちは気に入っている。それは、今の豊かで不安定な環境をうまく喩えている。あらゆる点で、今日誕生する学習者は、野生の生まれとみなしてもよいだろう。なぜなら彼らは、あらゆる機知と知恵を奮い起こすことができること、それを誰かに助けてもらえることを必要とするからである。彼らには6Csとともに、世界は神秘的で、危険で、不思議で、ちょっと変な言い方だが、助けを必要としているという想定が必要になろう。

　耳で聞くほど突飛なことではない。グローバルパートナーシップにおいて6Csとディープラーニングを促すにつれて、6つの「新たな発見」が明らかになった。それらは世界に関わり世界を変えるという領域に直結していることが判明している。

　この取り組みをするにつれて自然に現れたのが、横断的なテーマ、すなわ

ち、「世界に関わり世界を変える」「善いことを行い、よりよく学ぶ」「世界が私を必要としている」である。こうしたテーマは経験に基づくディープラーニングから生じているので、表面的で楽観的な言葉ではない。活動中のディープラーナーだからこそ、新たな発見が生まれるのである。それらは、マシンとプラットフォームとクラウドが予測できない仕方で相互に作用するだろうという不安と認識に関連して生じている。こうしたこれまでになく強力な力を前にして、いっそう重要になるのは、つながりとケアの能力であろう。つまり、本書で論じたように、ますますディープラーニングが必要になるだろう。

「世界に関わり世界を変える」「善いことを行い、よりよく学ぶ」「世界が私を必要としている」。

ディープラーニングの実施のなかで生まれた発見

1. **人を助ける**：子どもや若者には、生来、人の役に立ちたいという思いがある。

2. **生活と学習の融合**：学習は、日常生活のなかで重要なことに最も関係しているときに、最も効果的になる。個人の目的と価値ある何かを創ることとが基調をなしている。

3. **他者と協力して取り組むことが内発的動機づけとなる**：他者と一緒に価値あることを行うのは、非常に人間的な経験である。

4. **キャラクター、シティズンシップ、クリエイティビティは「カタリスト（触媒）のCs」である**：これらは有益なものを見つけたり、引き起こしたりする包括的な行動を促進する。

5. **若者は最高の変革主体である**：乳児からそうであるが、1人では変革の主体にならない。若者も年配者も互いを必要としている。相乗効果を見出そう。

6. **卓越性を武器に不平等と闘う**：世界はより不公平になってきているので、卓越性の強化をあまねく達成しようとするディープラーニングの逆進力が、地球の存続に不可欠になっている。

　グループで学び、全体像を見据えることを学習者に喚起することが、これまで以上に重要になっている。物事がひどく悪い方向に進む恐れもあるが、私たちにわかっているのは、6Csを身につけた学習者ならば、どのような状況であっても、成功できるだろうということである。何よりも望まれるべきことは、ディープラーナーが世界を受け継ぐことなのである。

何よりも望まれるべきことは、ディープラーナーが世界を受け継ぐことである。

第10章

Enigma Mission Wooranna Park Primary
School – Australia (Video 7.1)
https://youtu.be/IQYi6ap5u_U
www.npdl.global

Rubik's Cube – A Question Waiting to be
Answered
https://youtu.be/W1K2jdjLhbo
www.npdl.global

Team Dynamics
https://youtu.be/nKHGw4moYC4
www.npdl.global

ディープラーニングのための新しい教育法
(New Pedagogies for Deep Learning, NPDL)
参加７か国

　NPDLに参加している７か国それぞれでのディープラーニングへの行程について簡単に紹介する。類似する国は２つとない。学校の数が少ない国もあれば、多い国もある。本書で取り上げているのはごく一部の事例であり、さらに何百という事例が次々に起こっている。6Cs（キャラクター、シティズンシップ、コラボレーション、コミュニケーション、クリエイティビティ、クリティカルシンキング）を中心とする共通言語によって、教師、リーダー、生徒はすぐにでも深い理解を持ってつながることができる。それがプラスの波及効果として作用するのは、ディープラーニングが活性剤になるからである。NPDLのウェブサイト（www.npdl.global）にアクセスし、もっと多くの事例を見て、このワクワクする行程をたどっていただきたい。

オーストラリア

　オーストラリアではビクトリア州教育訓練省とタスマニア州が主導的な役割を担い、最初はビクトリア州の80校とタスマニア州の20校でディープラーニングに着手した。2015年、クイーンズランド州の８校がサブクラスターとして参加し、１年で29校に拡大した。オーストラリアは包括的で世界的なツールとプロセスのセットを活用することで、迅速に行動を起こしたが、国内で推進するに際して、現地のニーズに合わせた能力構築のための有効なアプローチを用いた。広範な支援構造とリソースを開発しており、それらは他の国々と共有され、高く評価されている。協働探究はすべての学校間での深い対話を促すための計画的な仕組みとして利用されており、アイデアやスキルの相互交流につながっている。

カナダ

　カナダの教育は10州と3準州の教育省が管轄し、その下に教育委員会がある。連邦政府の関与もなければ、ナショナルカリキュラムもないが、各州は頻繁に関わり合って国内での調整を確保している。カナダでは2014年、14の教育委員会と約100校の学校が「ディープラーニングのための新しい教育法（New Pedagogies for Deep Learning, NPDL）」に参加した。当初参加したのは、オンタリオ州とマニトバ州の2州の学校であった。現在では6州で、300校以上を代表する28の教育委員会が参加しており、積極的にNPDLに関わっている。多様な地域に散らばった教育委員会が定期的なテレビ会議を通じて、リソースを共有し、実践上の問題を調査し、実例のモデレーションを行っている。各学区は強固な能力構築アプローチを採用しており、外部に目を向けて内部を改善する能力を重視して、ディープラーニング・ラボと学区を横断した視察を行っている。

フィンランド

　フィンランドはOECD生徒の学習到達度調査（PISA）で過去10年間トップクラスを維持しており、生徒が成功している秘訣を学びたいと考える教育者を毎年多数受け入れている。国際的なテストで優れた成績を収め、保護者と地域社会の満足度も申し分ないものの、政府はデジタル世界に向けて生徒を備えさえようと新しいナショナルカリキュラムの制定に着手した。その開発と並行して、現地パートナーのマイクロソフトが、ディープラーニングを先導するために、100校からなるクラスターを支援することを申し出た。フィンランドが取り組んだのは、NPDLがもたらす「どのように」という「システム全体を考えるマインドセット」であった。それが新しいカリキュラムには欠けていたからである。一連のツールを活用することで、地方自治体での新しいカリキュラムの実施に関する計画立案と対話に的確性と焦点をもたらすことができた。最終的に、その協働探究とグローバルなモデレーションプロセスは、フィンランドのアプローチと世界の他の状況で可能なアプローチを比較する際に、大きなインパクトを持つことになった。組織的には、教育は地方自治体が管轄している。単一の能力構築組織が、ディープラーニングの取り組みにおいて26の地方自治体と250校以上の学校を結びつけている。

オランダ

　オランダは組織的にも政治的にも独自の環境を有している。教育における選択を公約に掲げており、オランダの教育システムのスタンダードを満たせば、誰もが個人的信念に基づいて学校を開設することができる。教育における急速な変化への社会的要請に対応して、オランダの教育文化科学省は多様なパートナーを招いて、2035年の教育についての明確なビジョンを定めた。NPDLへの参加は、国が現在と将来の教育のために学習変革を重視する直接的な要因となり、参加者が安全圏から出て、自己と他者の実践を最適化するための新しく創造的な方法を見出す後押しになっている。能力構築組織が、共通の学習行程において多様な教育委員会を結びつけるのに不可欠の存在になっている。包括的なツールと組み合わせた強固な「能力構築」アプローチは、外部に目を向けて内部を改善している学校間のつながりを創出してきた。1年前ですら考えられなかったような教授プロセスや生徒との関係性の変革が報告されている。

ニュージーランド

　2017年10月、選挙で成立したばかりの政府は政策改革を発表した。その内容は、ナショナル・スタンダードを廃止し、ディープラーニングと6Csに適したラーニング・プログレッションおよび他の要素を活用する新しいシステムに向けて、各セクターの専門家や実践者と協議を始めるというものであった。当局は、これまでの学習コミュニティ（Communities of Learning, CoL）のプロセスを活用して共同計画を協働でデザインする機会を学校に提供することで、公教育を強化しようとしている。ニュージーランドはマオリ族の学業成績の向上を成功させるプログラムに引き続き大きな重点を置いており、マオリ族に対して独自の中等学校修了資格を設けることができるかどうか調査している。コンピテンシーの成功の度合いを測定する方法について見直すことで、ディープラーニングの評価をデザインするという世界的な課題に加わっている。NPDLのプログラムへの参加は、コンピテンシー・ベースのカリキュラム枠組みとも整合性がとれている。各学校は、NPDLが重視する6Csと、新しい学習戦略と組織構造の開発を、教師と学校が地方と国の目標を追求する際に協働するための理想的な状況の提供とみなしている。当初の参加校は7校であったが、強固な能力構築アプローチ、モデレーションプロセス、さらに学校間をつなぐことで「外部に目を向けて内部を改善する」という戦略を利用することにより、29校に拡大した。こうした最近のニュージーランドの政策改革が、ディープラーニングに有利なようにシステム上の障壁（成功基準など）を除去・削減するというオンタリオ州で発表されたばかりの政策改革と類似しているのは、注目に値する。

米国

　米国は多様な地域的状況と政治構造を抱える複雑で広大な国である。4州が最近NPDLに参加し、地理的境界を越えて学ぶのに有用なバーチャルネットワークを構築している。この1年間、活発に活動していたのはカリフォルニア州、ミシガン州、ワシントン州であった。コネチカット州は準クラスターである。いずれも背景、地勢、人口が多様であるが、4州が参加したのは、州内だけでなく複数の州間でも、またグローバルにも、他者と学べる機会が得られるというのが理由である。他の数州がパートナーシップへの参加を準備中である。各州で利用している直接的で強固な能力構築アプローチは、仮想資源とインターネットを利用したつながりによって強化されている。

ウルグアイ

　ウルグアイのシステムの事例からは、文脈を重要視し、「じっくり考えて迅速に行動する」という戦略を利用して、国全体で移行するという強い願望がみてとれる。ウルグアイは民主主義国であり、教育を国民の将来の成功に欠かせない基盤と認識し、10年前、高度に中央集権化したシステムから、すべての人の可能性を引き出すシステムへの大きな移行に着手した。政府の出資を受けているが独立機関であるセイバル（Ceibal）が、テクノロジー関連の能力構築において重要な役割を担ってきた。当初参加した100校に共通の言語とスキルを構築するための試金石として、一連のツールとプロセスを利用した。2年目と3年目には、強固なテクノロジー基盤に基づく、より包括的で持続的なアプローチを開発して、能力を構築し、400校以上に影響を与えるまでになった。

参考文献・資料

American Institutes for Research. (2014). *Study of deeper learning: Opportunities and outcomes*. Palo Alto, CA: Author.

Biggs, J., & Collis, K. (1982). *Evaluating the quality of learning: The SOLO taxonomy (structure of the observed learning outcome)*. New York, NY: Academic Press.

Cadwell, L. B. (1997). *Bringing Reggio Emilia home: An innovative approach to early childhood education*. New York, NY: Teachers College.

Cadwell, L. B. (2002). *Bringing learning to life: A Reggio approach to early childhood education*. New York, NY: Teachers College.

Clinton, J. (2013). The power of positive adult relationships: Connection is the key. Retrieved from http://www.edu.gov.on.ca/childcare/Clinton.pdf

Comber, B. (2013). Schools as meeting places: Critical and inclusive literacies in changing local environments. *Language Arts, 90*, 361-371.

Connection through relationship: The key to mental health. (2017, June 13). [Seminar]. Toronto, Canada.

Davidson, E. J., & McEachen, J. (2014). *Making the important measurable: Not the measurable important*. Seattle, WA: The Learner First.

The Deming Institute. (n.d.). The Deming system of profound knowledge. Retrieved from https://deming.org/explore/so-p-k

The Economist. (2017). Together, technology and teachers can revamp schools. Retrieved from https://www.economist.com/news/leaders/21725313-how-science-learning-can-get-best-out-edtech-together-technology-andteachers-can

Elmore, R. (2016). Getting to scale . . . it seemed like a good idea at the time. *Journal of Educational Change, 17*, 529-537.

Epstein, J. L. (2010). School/family/community partnerships: Caring for the children we share. *Phi Delta Kappan, 92*, 81-96.

Epstein, J. L., Sanders, M. G., Sheldon, S. B., Simon, B. S., Salinas, K. C., Jansorn, N. R., Van Voorhis, F. L., . . . Williams, K. J. (2009). *School, family, and community partnership: Your handbook for action* (3rd. ed.). Thousand Oaks, CA: Corwin.

Florida, R. (2017). *The new urban crisis*. New York, NY: Basic Books.

Fraser, B. J.（2012）. *Classroom environment*. New York, NY: Routledge.

Freire, P.（1974）. *Education for critical consciousness*. London, UK: Bloomsbury.

Freire, P.（2000）. *Pedagogy of the oppressed*. New York, NY: Bloomsbury.（『被抑圧者の教育学』パウロ・フレイレ著、三砂ちづる訳、亜紀書房、2011年）

Freire, P.（2013）. *Education for critical consciousness*. London, UK: Bloomsbury Academic.

Fromm, E.（1941）. *Escape from freedom*. New York, NY: Farrar & Rinehart.（『自由からの逃走』エーリッヒ・フロム著、日高六郎訳、東京創元社、1965年）

Fromm, E.（1969）. *Escape from freedom*（2nd ed.）. New York, NY: Holt.

Fullan, M.（2014）. *The principal: Three keys for maximizing impact*. San Francisco, CA: Jossey-Bass.（『The Principal：校長のリーダーシップとは』マイケル・フラン著、塩崎勉訳、東洋館出版社、2016年）

Fullan, M.（2015）. *Freedom to change*. San Francisco, CA: Jossey-Bass.

Fullan, M.（2017）. *Indelible leadership: Always leave them learning*. Thousand Oaks, CA: Corwin.

Fullan, M., & Edwards, M.（2017）. *The power of unstoppable momentum: Key drivers to revolutionize your district*. Bloomington, IN: Solution Tree.

Fullan, M., & Gallagher, M. J.（2017）. *Transforming systems: Deep learning and the equity hypothesis*. Palo Alto, CA: Learning Policy Institute.

Fullan, M., & Hargreaves, A.（2016）. *Bringing the profession back*. Oxford, OH: Learning Forward.

Fullan, M., & Quinn, J.（2016）. *Coherence: The right drivers in action for schools, districts, and systems*. Thousand Oaks, CA: Corwin.

Gallup.（2016）. 2016 Gallup Student Poll: A snapshot of results and findings. Retrieved from http://www.gallup.com/file/reports/211025/2016Gallup Student Poll Snapshot Report.pdf

Grey, A.（2016）. The 10 skills you need to thrive in the fourth industrial revolution. *World Economic Forum*. Retrieved from https://www.weforum.org/agenda/2016/01/the-10-skills-you-need-to-thrive-inthe-fourth-industrial-revolution

Hattie, J.（2012）. *Visible learning for teachers*. New York, NY: Routledge.（『学習に何が最も効果的か：メタ分析による学習の可視化（教師編）』ジョン・ハッティ著、原田信之訳者代表、宇都宮明子［ほか］訳、あいり出版、2017年）

Heller, R., & Wolfe, R.（2015）. *Effective schools for deeper learning: An exploratory study. Students at the center: Deeper learning research series*. Boston, MA: Jobs for the Future.

Helm, H., Beneke, S., & Steinheimer, K. (2007). *Windows on learning: Documenting young children's work.* Ann Arbor, MI: Teachers College Press.

Howcroft, J. (2016). *What makes a great community?* [NPDL Exemplar].

Huberman, M., Bitter, C., Anthony, J., & O' Day, J. (2014). *The shape of deeper learning: Strategies, structures, and cultures in deeper learning network high schools. Report #1 Findings from the study of deeper learning: Opportunities and outcomes.* Washington, DC: American Institutes for Research. Retrieved from http://www.air.org/sites/default/files/downloads/report/Report%201%20The%20Shape%20of%20Deeper%20Learning_9–23–14v2.pdf

Hutchins, D. J., Greenfeld, M. G., Epstein, J. L., Sanders, M. G., & Galindo, C. (2012). *Multicultural partnerships: Involve all families.* New York, NY: Taylor and Francis.

Ilo, A., & Saarenkunnas, M. (2016). *Europe.* [NPDL Exemplar].

Institute for the Future for University of Phoenix Research Institute. (2011). Future work skills 2020. Retrieved from http://www.iftf.org/uploads/media/SR-1382A_UPRI_future_work_skills_sm.pdf

The Internet challenge in China: A case study of Tencent. (2015). [Seminar]. Palo Alto, CA: Stanford Law School.

Jenkins, L. (2013). *Permission to forget.* Milwaukee, WI: American Society for Quality.

Jenkins, L. (2015). *Optimize your school: It' s all about strategy.* Thousand Oaks, CA: Corwin.

Kluger, J. (2009). *Simplexity: Why simple things become complex (and how complex things can be made simple).* New York, NY: Hyperion.

Lindstrom, M. (2016). *Small data: The tiny clues that uncover huge trends.* New York, NY: St. Martin's Press.

McAfee, A., & Brynjolfsson, E. (2017). *Machine, platform, crowd: Harnessing our digital fiture.* New York, NY: W. W. Norton.

Mehta, J. (2016, August 25). Deeper learning: 10 ways you can die. [Web log comment]. Retrieved from http://blogs.edweek.org/edweek/learning_deeply/2016/08/deeper_learning_10_ways_you_can_die.html

Mehta, J., & Fine, S. (2015). *The why, what, where, and how of deeper learning in American secondary schools. Students at the center: Deeper learning research series.* Boston, MA: Jobs for the Future.

Miller, P. [millerpEDU]. (2017, February 7). The modern learning "space" includes physical and virtual spaces but more importantly the cultural and relationship spaces. #innovations21 [Tweet]. Retrieved from https://twitter.com/millerpEDU/status/828980776502964228

Montessori, M. (2013). *The Montessori method.* Piscataway, NJ: Transaction.

Moore, G. (1965). Cramming more components onto integrated circuits. *Electronics*, 114-117.

New Pedagogies for Deep Learning. (2016) . NPDL Global Report. (1st ed.). Ontario, Canada: Fullan, M., McEachen, J., Quinn, J. Retrieved from http://npdl.global/wp-content/uploads/2016/12/npdl-global-report-2016.pdf

New Pedagogies for Deep Learning: A Global Partnership. (2016). *Bendigo Senior Secondary College speed dating with the pollies*. Retrieved from http://fuse.education.vic.gov.au/?8KKQKL

Noguera, P., Darling-Hammond, L., & Friedlaender, D. (2015). *Equal opportunity for deeper learning. Students at the center: Deeper learning research series*. Boston, MA: Jobs for the Future.

OECD. (2016). *Global competency for an inclusive world*. Paris, France: OECD.

Ontario Ministry of Education. (2014a). *Achieving excellence: A renewed vision for education in Ontario*. Ontario, Canada: Author. Retrieved from http://www.edu.gov.on.ca/eng/about/renewedvision.pdf

Ontario Ministry of Education. (2014b). *Capacity building series: Collaborative inquiry in Ontario*. Ontario, Canada: Author. Retrieved from http://www.edu.gov.on.ca/eng/literacynumeracy/inspire/research/CBS_CollaborativeInquiry.pdf

Ontario Ministry of Education. (2014c). *How does learning happen? Ontario's pedagogy for the early years*. Ontario, Canada: Author. Retrieved from http://www.edu.gov.on.ca/childcare/HowLearningHappens.pdf

Ontario Ministry of Education. (2016). *Ontario's well-being strategy for education*. Ontario, Canada: Author. Retrieved from http://www.edu.gov.on.ca/eng/about/WBDiscussionDocument.pdf

OWP/P Cannon Design Inc., VS Furniture, & Bruce Mau Design. (2010). *The third teacher: 79 ways you can use design to transform teaching & learning*. New York, NY: Abrams.

Pane, J.F., Steiner, E., Baird, M., Hamilton. L., & Pane, J.D. (2017). *Informing progress: Insights on personalized learning implementation and effects*. Santa Monica, CA: Rand Corporation; Funded by Bill and Melinda Gates Foundation.

Pappert, S. (1994). *The children's machine: Rethinking school in the age of the computer*. New York, NY: Basic Books.

Piaget, J. (1966). *The origin of intelligence in the child*. London, UK: Routledge & Keegan Paul.

Quaglia, R., & Corso, M. (2014). *Student voice: The instrument of change*. Thousand Oaks, CA: Corwin.

Ramo, J. C. (2016). *The seventh sense*. New York, NY: Little Brown.

Robinson, K. (2015). *Creative schools*. New York, NY: Viking. (『Creative schools：創造性が育つ世界最先端の教育』ケン・ロビンソン，ルー・アロニカ著、岩木貴子訳、東洋館出版社、2019年)

Robinson, V. (2017). *Reduce change to increase improvement*. Thousand Oaks, CA: Corwin.

Rubin, C. M. (2016). The global search for education: Would small data mean big change? [Blog]. Retrieved from http://www.huffingtonpost.com/c-m-rubin/the-global-search-for-edu_b_12983592.html

Ryan, R. M., & Deci, E. L. (2017). *Self-determination theory: Basic psychological needs in motivation, development, and wellness*. New York, NY: Guilford.

Schein, E. H. (2010). *Organizational culture and leadership* (4th ed.). San Francisco, CA: Jossey-Bass. (『組織文化とリーダーシップ』エドガー・H.シャイン著、梅津祐良, 横山哲夫訳、白桃書房、2012年)

Scott, G. (2016). *Transforming graduate capabilities & achievement standards for a sustainable future*. Sydney, Australia: Western Sydney University.

Scott, K. (2017). *Radical candor*. New York, NY: St. Martin's Press. (『Great boss：シリコンバレー式ずけずけ言う力』キム・スコット著、関美和訳、東洋経済新報社、2019年)

Shnur, J. (2016). Pine River Annual Improvement Plan 2017, personal communication, December 2016.

Tijssen, R., & Yegros, A. (2016). The most innovative universities: An alternative approach to ranking. *Times Higher Education*. Retrieved from
https://www.timeshighereducation.com/blog/most-innovative-universitiesalternative-approach-ranking

Timperley, H. (2011). *The power of professional learning*. Maidenhead, UK: Open University Press.

Tough, P. (2016). *Helping children succeed: What works and why*. New York, NY: Houghton Mifflin Harcourt. (『私たちは子どもに何ができるのか：非認知能力を育み、格差に挑む』ポール・タフ著、高山真由美訳、英治出版、2017年)

Walker, B., & Soule, S. (2017, June 20). Changing company culture requires a movement, not a mandate. *Harvard Business Review*, 2-6.

Ziser, K. L., Taylor, J., Rickles, J., Garet, M. S., & Segeritz, M. (2014). *Evidence of deeper learning outcomes. Report #3 Findings from the study of deeper learning: Opportunities and outcomes*. Washington, DC: American Institutes for Research. Retrieved from https://www.air.org/sites/default/files/downloads/report/Report_3_Evidence_of_Deeper_Learning_Outcomes.pdf

謝　辞

　5年近くにわたって数百校の学校が関与するグローバルなパートナーシップを実施すれば、感謝すべき人々は多数に上る。確かにそのとおりで、私たちが学んだ鉄則は揺るぎないものであり、最善のアイデアの80%は卓越した実践者から得ていると言うことができる。そうした人々は学校、学区、地方自治体、政府などに存在する。私たちはともに学んだことに対して、あらゆる年齢のこうした協働学習者に感謝している。

　ヒューレット財団（Hewlett Foundation）に謝意を述べる。特にBarbara ChowとMarc Chunにはディープラーニングに対する10年に及ぶ献身と明確な支援に感謝している。スチュアート財団（Stuart Foundation）にはカリフォルニア州でのシステム変革（System Change）研究に長期的な資金援助をいただき、また深いシステム変革に際して包括的なリーダーシップを発揮していただいた。

　各国の国やクラスターのリーダーなど、周囲の献身的な環境にも助けられた。Lynn Davie、Mary Coverdale、Ben Wilson（オーストラリア）；Tom D'Amico、Anita Simpson、Dana Liebermann、Bill Hogarth、Patrick Miller（カナダ）；Vesa Åyrås、Kati Tiainen、Kaisa Jussila、Paula Vorne（フィンランド）；Marlou van Beek、Baukje Bemener（オランダ）；Derek Wenmoth、Margot McKeegan（ニュージーランド）；Miguel Brechner、Claudia Brovetto、Andrés Peri（ウルグアイ）；Larry Thomas、Pam Estvold、JoDee Marcellin（米国）の各氏に謝辞を述べる。イグゼンプラーとビデオで経験談を投稿してくれた多数の学校、教師、管理者に感謝している。

　それから、私たちのグローバルでエネルギッシュなチームを構成する献身的なリーダーのMag Gardner、Max Drummy、Cecilia de la Paz、Bill Hogarth、Catie Schuster、Matt Kaneの各氏。種々の取り組みに関して私たちに協力してくれた多数の思想的リーダーであるEleanor Adam、Santiago Rincón-Gallardo、Jean Clinton、MaryJean Gallagher、Peter Hill、Bill Hogarth、Cathy Montreuil、John Malloy、Joelle Rodway、Andreas Schleicher、Michael Stevenson、Andy Hargreaves、Carol Campbellの各氏に感謝する。

　本書の制作に当たって多大なご支援をいただいた。私たちのチームでは全体の質の面でClaudia CuttressとMary Meucciの両氏に、グラフィックスではTrudy LaneとNolan Hellyerの両氏に尽力いただいた。オンタリオ州校長会議（Ontario Principals' Council）には積年のご支援と、私たちの研究すべての共同出版に感謝申し上げる。最後に、優れた出版社であるCorwinに対し、迅速さと柔軟性、質へのこだわりにお礼申し上げる。Arnis、Desiree、Melanie、Deanna、そしてCorwinを支える人々には感謝してもしきれない。

監訳者解説

——ディープラーニングから教育システムを変革するための枠組み——

　本書は、Michael Fullan, Joanne Quinn, and Joanne McEachen, *Deep Learning: Engage the World Change the World*（Corwin, 2018）の全訳である。英語タイトルをそのまま訳せば『ディープラーニング』となるが、AIの「ディープラーニング」の本と間違われないよう、邦題は『教育のディープラーニング』とした。この本には、2014年から始まり、世界7か国（オーストラリア、カナダ、フィンランド、オランダ、ニュージーランド、米国、ウルグアイ）の約1,200校で実践されてきた「ディープラーニングのための新しい教育法（New Pedagogies for Deep Learning, NPDL）」の理論、実践、成果が描かれている。NPDLのウェブサイトによれば、2019年現在、参加国（地域）に香港が加わり、世界8か国の約1,300校に広がっている。

　"deep learning" という言葉は、AIのディープラーニング・ブームにあやかろうとしたものではまったくない。心理学・教育学の世界では、すでに1970年代の半ばから、"deep approach to learning"（学習への深いアプローチ）という用語が使われており、それはやがて、短く縮めて "deep learning" とも呼ばれるようになった。私がこの用語に初めて出会ったのは、2007年にフィンランドを訪問したときのことである。オウル大学の教授開発ユニットでもらったパンフレットに「高等教育の目標は、"deep learning" の追求でなければならない」と書かれていたのだ。"deep learning" は、北欧や英国を中心にすでに教育関係者にはなじみのある概念になっていた。

　その後、21世紀型スキルなどの汎用的能力が提唱されるなかで、"deep learning" は高等教育だけでなく、初等中等教育でも注目されるようになっていった。たとえば、教育に関して影響力のある報告を数多く行ってきた全米研究評議会（National Research Council, NRC）は、"deeper learning" という概念を提案し、その報告書をもとにした同名の本も出版されている（Bellanca, 2015）。マイケル・フランもその本の執筆者の一人である。

　本書の「ディープラーニング」は必ずしも、高等教育で使われてきた "deep learning" やNRCの "deeper learning" と同じというわけではない。だが、少なくとも、"deep learning" が、最近のはやり言葉ではなく、心理学・教育学では長い間大切にされてきた言葉であるということをまず知っておいていただきたい。

　本書の主執筆者であるマイケル・フランは、トロント大学オンタリオ教育研究所の元所長であり、長年にわたってカナダ・オンタリオ州を中心に、世界各地の教育改革を牽引してきた人である。第二著者のジョアン・クインとともにNPDLを設立し、NPDLのグローバルリーダーシップ・ディレクターとしてNPDL運動を名実ともに牽引してきた。日本では、*The Principal: Three Keys to Maximizing Impact*（Jossey-Bass, 2014）の邦訳『The Principal 校長のリーダーシップとは』（塩崎勉訳、東洋館出

版社、2016年）が出版されている。また、アンディ・ハーグリーブス（Andy Hargreaves）との共著本である *Professional Capital: Transforming Teaching in Every School*（専門職資本：すべての学校における教授を変革する）（Routledge, 2012）も教師教育の分野でしばしば引用される。ただ、国際的な知名度からすれば、日本での紹介はまだ少ない。

　私が初めてフランの話を聞いたのは、2011年6月28・29日に東京で開催された第14回OECD-Japanセミナー「教育の質の向上—PISAから見る、できる国・頑張る国—（Strong Performers and Successful Reformers: Lessons from PISA）」においてだった。フランはこのセミナーで2つのプレゼンテーションを行った。1日目は「若者たちを明日の世界に備えさせる（Equipping Young People for Tomorrow's World）」、2日目は「システム全体の改革に向けて効果的な駆動力を選ぶ（Choosing Effective Drivers for Whole System Reform）」だった。複数回プレゼンテーションを行ったのはフランだけで、世界的な教育改革の推進役として強く印象づけられた。今、そのときのスライドを見返すと、本書のキーワードであるシステム全体の変革のアイデアがすでに語られていたことに気づく。

ディープラーニングのどこが「ディープ」なのか

　「ディープラーニング」とは何か。本書でいうディープラーニングは、「6つのグローバル・コンピテンシーを獲得するプロセス」（p. 52）と定義されている。ここからわかるのは、フランらは、ディープラーニングそのものを定義するのではなく、6つのグローバル・コンピテンシー（6Cs）を使って定義しているということである。では、どこが「ディープ」なのだろうか。

　「ディープラーニングとは？」のコラム（p. 24）をみると、「個性化と当事者性によって、学習への生徒の関与を深めること」「大多数の住民が結びついている精神的価値に共感すること」「探究を通じてスキル、知識、自信、自己効力感を身につけること」「他者と関わって善いことをしたいという人間としての欲求を深めること」といった説明がなされている。ここからすれば、＜学習活動や学習対象への深い関与によって、人間の深い部分（自信、自己効力感、精神的価値、欲求など）にまで影響を及ぼすような学習＞という意味で「ディープ」が使われていると考えられる。

　本書の36～37ページには、フランのお膝元、オンタリオ州で使われている「ウェルビーイングに関する4つの発達領域」が挙げられている。これは、生徒のウェルビーイングのためには学業面の発達以上のものが必要だという認識にもとづいて概念化されたものである。「認知的」「身体的」「社会的」「情動的」という4つの領域、そしてその中心に「自己と精神」が置かれている。ディープラーニングが影響を及ぼそうとする人間の特性や能力は、この全体を包含する。

4Csから6Csへ：「21世紀型スキル」を超えて

　ディープラーニングの核となっている6つのグローバル・コンピテンシー（6Cs）について具体的にみてみよう。フランらのいうコンピテンシーとは、「知識とスキル、自己と他者に対する態度を合わせた一連の重層的な能力」（p. 31）のことである。「グローバル」が付いているのは、それがグローバルな問

題を扱ううえで必要となるだけでなく、特定の国や地域を越えてグローバルに共通して求められる能力だという意味を込めてのことだろう。このグローバル・コンピテンシーとして、NPDLでは、キャラクター、シティズンシップ、コラボレーション、コミュニケーション、クリエイティビティ、クリティカルシンキングの6つを挙げる。

21世紀の社会を生きていくために必要な力については、2000年代以降、数多くのリストが提案されてきた。国際的には、OECDの「キー・コンピテンシー」、ATC21S（21世紀型スキルの学びと評価プロジェクト）やP21（21世紀型スキルのためのパートナーシップ）の「21世紀型スキル」、日本では、国立教育政策研究所の「21世紀型能力」や2017・18年版学習指導要領の「資質・能力の三つの柱」などである。

だが、フランらの主眼は、能力リストを作ることにはない。フランらは、21世紀型スキルを育成したり評価したりする有効な方法がこれまではなかったことを指摘したうえで、彼らの6Csとこれまでの21世紀型スキルのリストとの違いを、「包括性」「的確性」「測定可能性」の3点にまとめている。

「包括性」とは、21世紀型スキルで挙げられる「4Cs」（コミュニケーション、コラボレーション、クリエイティビティ、クリティカルシンキング）に、キャラクターとシティズンシップを加えたことである。この2つは基礎をなす特質で、他の4つのスキルや行動を活性化する、と考えられている。生徒が何か複雑な問題に注目し、自分たちの学習に責任を持ち、世界に関心を寄せて貢献できるような活動を行っているときには、この6Csすべてを使っている、という。

「的確性」とは、それぞれのコンピテンシーを育成する確かな方法を生み出すということである。古いか新しいかに関係なく、育成しようとするコンピテンシーにぴったりな教育法を選び、創り出すことである。その際に重要な役割を果たすのが、各コンピテンシーについて作られた「ディープラーニング・プログレッション」だ。「ラーニング・プログレッションズ」とは、「適切な教授が行われた場合に実現する、個々の学習テーマについての比較的長期にわたる概念変化や思考発達をモデル化したもの」（山口・出口, 2011, p. 358）である。つまり、1単元とか1学年といったスパンを超えて、長期にわたる生徒の概念や能力の変化を把握しようとするものであり、とりわけ理科教育でよく用いられてきた（なお、日本語では普通「プログレッションズ」と表記されるが、本書では単数形で書かれているところも少なくないことから「プログレッション」とした）。

このディープラーニング・プログレッションは、「測定可能性」を具体化するためのツールでもある。生徒や教師は、ディープラーニング・プログレッションを使って、出発点を評価し、進捗状況をモニタリングする。ディープラーニング・プログレッションがコンピテンシーの成長を語るための共通言語を提供してくれるのである。本書でフランらは、「測定」という言葉をかなり広い意味で使っていることに注意しよう。「測定」といっても客観テストや質問紙調査を使って数値化するのではなく、生徒のパフォーマンス（実演や作品）を見て、複数の評価者がモデレーション（調整）を行いながら、その背後にあるコンピテンシーのレベル（不足・発現・進展・加速・習熟の5段階）を確定していく行為を、フランらは「測定」と呼んでいる。一般的に、このような行為は「測定（measurement）」より「評価

（assessment）」と言い表されることが多い。フランらが「測定」にこだわるのは、数値化することで、NPDLの効果を検討し、内部や外部への説明責任を果たすことがやりやすくなるからだろう。

　一方で、フランらは、教授と学習の焦点を容易に測定できるものに制限することが、その教授と学習を狭めることの危険性にも自覚的である。教育実践の深い理解には、「スモールデータ」（大きな傾向を明らかにする小さな手がかり）が有効であるとして、従来の学校教育で苦労していた生徒がディープラーニングの環境で成功しているエピソードや事例などを収集している。そうした実例のコレクションが「ディープラーニング・イグゼンプラー」だ。教師や学校リーダーは、単にプログレッションの評定値だけでなく、具体的な子どもたちの姿から学習の進捗状況や教育実践の有効性を検討することができる。子どもたちや学校・学区のエピソード・事例がふんだんに描かれているのは本書の大きな魅力である。

「NPDL」という社会運動：学習プロセスの変革からシステム全体の変革へ

　NPDLは「意図的な社会運動」である。それは、政策やトップ（政府）によって推し進められているのではなく、「中間」（学区や地方自治体）や「ボトム」（生徒、教師）からパワーを得ている。

　では、教育システムを変えようとするときに最初に何から始めるか？　フランらが変革の中心に置くことにしたのは、構造改革でも、教師の役割を排除した生徒主体の学習でもなく、「学習プロセス」である。「学習プロセスに焦点化した集団的な取り組みによって、関係性が変化し、新しい教育実践が生まれ、ひいては構造の変革を引き起こす。学習プロセスへの焦点の移行が『文化の変革』になるのを認識することが重要である。文化の変革は生徒や教師と家族の関係性を変えるだけではなく、教師同士の関係性、教師と管理者の関係性をも根本的に変える」（p. 42）とフランらはいう。彼らがめざすのは、一人の教師、一つの教室・学校でディープラーニングを引き起こすことではなく、「学校のすべての教室で、学区や地方自治体のすべての学校で、州や国全体で、ディープラーニングを引き起こす」ことなのである。なぜなら、「システムに刃向かうのは個人でも可能だが、ひっくり返すには集団が必要である」（p. 40）からだ。

　だが、システム全体の変革は並大抵のことでは実現できない。フランらがその実現の必要条件として挙げているのは「一貫性（coherence）」である。本書の2年前に刊行された著作『一貫性：学校、学区、システムのための適切な変革推進力（*Coherence: The Right Drivers in Action for Schools, Districts, and Systems*）』（Fullan & Quinn, 2016）のメインタイトルになっていることからもわかるように、「一貫性」はフランの変革理論にとって実に重要な概念である。フランらのいう「一貫性」とは、規格をそろえる「標準化」とは異なり、「取り組みの本質に関する理解の共有の深さ」（p. 46）のことだ。ディープラーニングをこのような一貫性のあるものにするためのモデルが、「ディープラーニング・フレームワーク」である。

ディープラーニング・フレームワーク

ディープラーニング・フレームワークは同心円状のモデルで、以下の4つの層からなる（図1, 本書p. 51）。

第1層：6Csとそれを獲得するためのディープラーニング

第2層：学習デザインの4要素（教育実践、学習パートナーシップ、学習環境、デジタルの活用）

第3層：学校、学区、システムにおいてディープラーニングを促す条件

第4層：協働探究プロセス

中心にある第1層については、もはや説明するまでもないだろう。

第2層にあるのは、ディープラーニングをデザインするための4要素である。NPDLのNP（New Pedagogies：新しい教育法）は何が「新しい」のか。フランらは以下の4点を挙げている――①既存の知識を伝達するだけではなく、現実世界にお

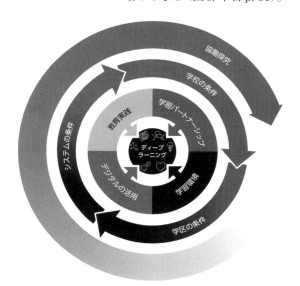

図1　ディープラーニング・フレームワーク

ける新しい知識の創出と活用に重点を置いている、②生徒と教師の間に新しい学習パートナーシップを構築する、③教室内外の時間・空間・人を触媒とすることで、教室の壁を越えて学習環境を拡大する、④学習を加速・深化させるためにデジタルをユビキタスに（いつでもどこでも）活用する（p. 78）。第2層に置かれているのは、この4要素（教育実践、学習パートナーシップ、学習環境、デジタルの活用）である。

第3層は、学校、学区またはクラスター（学校群）、州という3つのレベルで、ディープラーニングに向けたシステムの変革を具体化するための条件である。本書では、「システム」が、教育制度という意味だけでなく、このようにレベルごとのシステムの意味でも使われている。システムの変革の条件として、フランらは、「ビジョン」「リーダーシップ」「協働文化」「学習の深化」「新たな尺度／評価」の5つを挙げる。ビジョンを掲げ、リーダーシップを発揮し、学校内外の人々と協働しつつ、学習の深化を図り、その成果をディープラーニング・プログレッションを使って測定・評価するということである。この5条件は「一貫性」をもたらす要素でもある。

第4層は協働探究プロセスである。これは、＜評価－デザイン－実施－測定・振り返り・変革＞の4つの段階からなる。ちょっとPDCAサイクルにも似ているが、まず、現在の強みとニーズを「評価」したうえで目標を設定するところから始めるというのが特徴的である。また、図では一番外側に置かれているが、各層で相互作用効果を促すことの必要性を示したものでもある。実際、第1層の6Csには「コラボレーション」が含まれ、第2層には「学習パートナーシップ」が置かれ、第3層では学校・学区・シ

ステムの変革の条件として「協働文化」が組み込まれている。第1層から第3層の各層に協働探究プロセスが浸透し、有効な対話を生み出すことが、ディープラーニングをシステム全体で実現するためには不可欠なのである。

「世界に関わり世界を変える」：土台にあるフレイレの思想

　最初のフランの紹介のところで述べたように、フランはOECDが進めるグローバルな教育改革の"チーム"の重要なメンバーである。彼の論考や彼が主導してきたオンタリオ州の教育改革についての記述は、OECDのPISA関係の文書にしょっちゅう登場する。2017・18年改訂の学習指導要領に影響を与えたOECD Education 2030（現在では、OECD Learning Compass 2030と呼ばれている）でも、個人と社会のウェルビーイングをめざして、子どもたち自身が「変革の主体（change agent）」となり、グローバルな「変革をもたらすコンピテンシー（transformative competencies）」を獲得していくことが謳われており、フランらの理論・実践の影響がうかがわれる。

　ところで、OECDは「経済成長、開発、貿易」を目的として設立された国際機関（OECD条約第1条）であるため、OECDの教育政策は「経済成長のための教育」でしかないという批判がなされることがある。

　だが、NPDLのめざすのは、決して「経済成長のための教育」ではない。それは、NPDLがパウロ・フレイレ（Paulo Freire, 1921-1997）の思想を土台にすえていることからうかがい知ることができる。フレイレは、ブラジル北東部で行われた識字教育運動とそれにもとづく批判的教育学で知られる教育学者・哲学者である。彼の識字教育理論は、識字（リテラシー）を単に文字の機械的な読み書きの習得と捉えるのではなく、むしろ民衆が自らの生活現実の変革に立ち上がり、自らの生活について批判的に語る中で、文字を獲得していく過程と捉えるものであった。農民・民衆はすでに豊かな話し言葉を持っているが文字を持たないために、現実を対象化して捉えたり、自らの要求を表現したりする手段がなく、「沈黙の文化」の中に置かれている。彼らは文字の獲得を武器として、自分たちを取り巻く世界を読み解き、現実の変革と要求の実現に向けて自ら行動を起こす能動的な主体となっていくのである（小柳, 2010, 第4章）。

　このようなフレイレの理論・実践を合わせ鏡にしてみると、フランらのNPDLの意図がいっそう明確になってくるのではないだろうか。フレイレの主著は、本書でも引用されている『被抑圧者の教育学（*Pedagogy of the Oppressed*）』（Freire, 1970）である。NPDLという呼称にも同じく"pedagogy"が使われている。おそらくフレイレを意識したものだろう。フレイレでは「教育学」、本書では「教育法」と訳されているが、どちらも教育法を開発し、その実践にもとづく教育学を展開している点は共通している。フランらは、「公平性の仮説」を掲げ、「ディープラーニングはすべての人に適しているが、特に有効性が高いのは学校教育から最も疎外されている人々である」（p. 19）という。経済的、文化的に貧困な子どもたちに、まず基本的な読み書き計算を教えるという古い方法ではなく、「基本的な読み書き計算能力を強化しつつ、生徒が真剣になる真正の課題に没入させる」プログラムを用いることによって、

公平性と卓越性を両立しようとするのである。それを実現する方法こそがディープラーニング（個人にも集団にも意味を持つ何かを掘り下げること）にほかならない。フランらはこの公平性と卓越性の両立の戦略を「学習のレベルを下げずに上へ伸ばそう」とも表現している（p. 39）。

　フレイレが、文字とリテラシー（読み書き能力）を獲得することを通じて、民衆が「世界に働きかけ、世界を変革する」主体となることをめざしたように、フランらは、デジタルの活用を含む6つのグローバル・コンピテンシーを獲得することを通じて、子どもたちが「世界に関わり世界を変える」主体となることをめざしているのである。

表1　フレイレの識字教育とフランらのNPDLの比較

	フレイレの識字教育	フランらのNPDL
実践地域	主にブラジル	世界7か国
主体	農民、民衆　（抑圧された人々）	主に子ども（特に、これまでの学校教育から疎外されている子ども）
獲得される能力	リテラシー（文字）	6Cs（デジタルの活用を含む）
目的	世界に働きかけ、世界を変革する	世界に関わり世界を変える

　だが、こうした議論には批判もある。ハーバード大学のジャル・メータ（Jal Mehta）は、Education Week誌に、「ディーパーラーニングには人種問題がある」という投稿を行って、一躍ディーパーラーニング研究の旗手となった（冒頭に書いたように、「ディープラーニング」と「ディーパーラーニング」は厳密にいえば異なるが、本書では互換的に使われている）。「歴史的に見ても、ディーパーラーニングは恵まれた人々の領分、すなわち好条件の学区で生活し、子どもたちを優良な私立学校に通わせることのできる人々の領分に属するものだった。富裕層の多い学校に通う生徒たちは将来の経営者層にふさわしい課題解決型の教育を受け、もっと階級の低い、貧困層の多い学校に通う生徒たちは工場労働のようなブルーカラーの仕事を反映した、決まりきった作業を与えられる。これは学校間格差の調査と同一校内の調査の両方から判明した事実だ」（Mehta, 2014）とメータはいう。一方、米国研究所（American Institutes for Research）が19の高校を対象に行った調査では、ディーパーラーニングを取り入れた学校に通うことで、教科内容の知識や標準テストの得点にも好影響があるとされた。調査対象となった生徒のうち5分の3が低所得層の生徒たちで、彼らの得点は低所得層以外の生徒たちの得点と同じくらい伸びたという（Zeiser et al., 2014; 本書, p. 40）。

　本書の最終章、第10章では、メータの別の投稿「ディーパーラーニング：その10の死に方」を取り上げて、ディープラーニングの成否を分ける要因をそれぞれ10ずつ挙げている。システムに関わっているすべての人々（子ども、保護者、教師、学校、学区、政府、地域住民、パートナー企業など）を巻き込み、公平性と卓越性を両立させながら、システム全体の変革を行うこと、それがどんなに困難なことか、フラン自身もよく認識している。NPDL運動が今後どう展開していくのか関心を持って見守っていきたい。

「深い学び」との違い

本書を手に取られた方の中には、新しい学習指導要領で提唱されている「主体的・対話的で深い学び」、とりわけ「深い学び」を実施するヒントを得たいと思っておられる方も少なくないだろう。

「主体的・対話的で深い学び」は、「知識・技能」「思考力・判断力・表現力等」「学びに向かう力・人間性等」からなる「資質・能力の三つの柱」を育成するための方法として位置づけられている。これは、ディープラーニングが6Csを獲得するプロセスと捉えられていることとパラレルな関係にある。だが、文科省のいう「深い学び」とNPDLの「ディープラーニング」の間には、小さくない差異がある（それが"deep learning"を「深い学び」と訳さなかった理由の一つでもある）。「深い学び」は次のように定義されている。

> 習得・活用・探究という学びの過程の中で、各教科等の特質に応じた「見方・考え方」を働かせながら、知識を相互に関連付けてより深く理解したり、情報を精査して考えを形成したり、問題を見いだして解決策を考えたり、思いや考えを基に創造したりすることに向かう「深い学び」（中教審, 2016, p. 50）

このように「深い学び」には、各教科等の特質に応じた「見方・考え方」の形成や知識相互の関連付けによる深い理解といった要素が含まれている。一方、ディープラーニングでは、基礎学力や知識、教科教育への言及は驚くほど少ない。比較的まとまった言及があるのは、第9章の「ディープラーニングとカリキュラムのリンク」（pp. 173-176）である。ここでは各国のカリキュラムと6Csを関連付けるための教科横断的な学習の視点が説明されている。しかし、本書で紹介されている数多くのエピソードや事例は、日本のカリキュラムでいえば、「総合的な学習（探究）の時間」や特別活動、課外活動などでなされている学習のように見える。

ディープラーニングへの疑問と期待

こうした「深い学び」との違いをふまえたうえで、ディープラーニングへの疑問と期待を2点挙げておきたい。

一つは、ディープラーニングにおいて、教科教育での知識の深い理解を伴った学習がどのようにしてなされるのか、それとコンピテンシーの育成がどう両立しうるのか、という点である。おそらくフランらは、こうした知識の深い理解は、「生徒が真剣になる真正の課題に没入」するなかで形成されると考えるのだろう。だが、本書では、そう信じるに足るほどのエビデンス（ディープラーニング・プログレッションでの進捗状況やエピソード・事例など）は示されていない。

ラーニング・プログレッションズは、前述のように「適切な教授が行われた場合に実現する、個々の学習テーマについての比較的長期にわたる概念変化や思考発達をモデル化したもの」であり、その研究では、たとえば原子・分子のような概念の長期的変化などが明らかにされてきた。だが、本書でのディープラーニング・プログレッションは、6Csに限定されており、そこから概念変化のような知識面での変化を読み取ることはできない。NPDLにおけるコンピテンシーが「知識とスキル、自己と他者に対す

る態度を合わせた一連の重層的な能力」なのだとすれば、もっと知識面での変化にも目が向けられるべきではないだろうか。

『ディーパーラーニングを求めて（*In Search of Deeper Learning*）』（Mehta & Fine, 2019）という本の中で、メータらは、数多くの高校を調査した結果から、「中核」教科の授業ほどディーパーラーニングが難しく、むしろ「周辺」（芸術教科、特別活動、課外活動など）の方でディーパーラーニングが行われていたこと、だが数は少なかったものの「中核」教科の授業でもディーパーラーニング的な特徴を持った学習は確かに見られたことを報告している。ディープラーニングの実践が、知識の深い理解まで射程に入れて、教科教育の領域にも広がることを期待したい。

もう一つは、4Csから6Csへの拡張の妥当性についてである。「コンピテンシー」という概念について、忌避感を示す人は少なくない。コンピテンシーのような能力は、本来、私的領域であるべき「人格の深く柔らかい部分」にまで介入するものであり、また、家庭の文化資本によるところも大きいので教育格差の拡大につながりやすいというのが、これまでの批判の主な論点であった。一方、NPDLでは逆に、これまでのコンピテンシー（4Cs）にさらに「シティズンシップ」と「キャラクター」を加えている。家庭の文化資本の影響が大きいからこそ、保護者も巻き込んで、そこに介入しようとするのである。なぜなら、生徒のウェルビーイングのためには、中心に「自己と精神」を置いた「認知的」「身体的」「社会的」「情動的」の4つの領域全体に働きかけることが必要と考えるからだ。

このうち「シティズンシップ」を加えることについては比較的了解を得やすいだろう。たとえば、「共感（empathy）」のようなものも、実は単なる感情的状態ではなく、「他人の感情や経験などを理解する能力」（ブレイディ, 2019）であることを考えれば、教育目標にすえることは適切だと考えられる。一方、「キャラクター（人格）」については、異論を唱える人もいるかもしれない。本来、多様であるべき「人格」に、一律の「望ましい人間像」を押し付けるような印象を受けるからである。さらにそれを目標に掲げるだけでなく、ディープラーニング・プログレッションで測定し、その伸長をNPDLの成功の指標の一つとしていることには違和感を覚える人も少なくないだろう。もっとも、「キャラクター」の中身をあらためて見ると、挙げられているのは「学ぶことの学習／やり抜く力、粘り強さ、忍耐力、レジリエンス（回復力）／自己調整、責任感、誠実さ（integrity）」であって、本人の思想信条や性格（たとえば、外向性－内向性など）を価値づけることは避けられているようにも見える。だが、いずれにせよ、このような異論や違和感に対する考慮や説明が、本書には欠けている。

本書でも引用されている『私たちは子どもに何ができるのか：非認知能力を育み、格差に挑む』の中で、ポール・タフは、「非認知能力を、教えたり、測定したり、ありきたりなやり方で鍛えたりできる学習スキルとおなじと考えても仕方がないのではないか」「子供たちのやり抜く力やレジリエンスや自制心を高めたいと思うなら、最初に働きかけるべき場所は、子供自身ではない。環境なのである」（Kindle版, No. 1034, No. 239）と述べている。

NPDLでも実際に行われているのは、生徒と教師や学校外の人々とのパートナーシップを築きながら、デジタルを含むさまざまなツールを用いて、生徒が真剣になれるような真正の課題に取り組ませて

いくこと、すなわち、学習環境に働きかけることである。だとすれば、ディープラーニング・プログレッションは個々の生徒のコンピテンシーを測定し評定するのではなく、あくまでも生徒たちの置かれた学習環境や教育実践を評価するツールであることを徹底させねばならないだろう。とりわけ、非認知能力（社会情動的能力など）が個々の生徒に対して直接「教えたり、測定したり」できると考えられがちな日本では、この点を押さえておくことが重要だ。

訳について

　最後に訳語と訳者の役割分担についてふれておきたい。本書では、6Csを、キャラクター、シティズンシップ、コラボレーション、コミュニケーション、クリエイティビティ、クリティカルシンキングと、すべてカタカナ語で表した。カタカナ語の氾濫に眉をひそめる方もおられるかもしれない。だが、6Csをまとまった形で示すために、あえてこう表すことにした。一方、"collaboration" "creativity" などがより一般的な意味で使われているところでは、「協働」「創造性」などと訳している。

　"pedagogy" の訳にも悩んだ。一般的な訳語は「教育学」「教授法」であり、フレイレの "pedagogy" を意識した語であることははっきりしているが、本書では、「教育法」とした。他の21世紀型スキルとの違いを具体的な方法の提示に置いていることからすれば「教育学」は適切ではないと思われたし、教室レベルにとどまらず、学校・学区・政府といったさまざまなレベルでの教育システムの変革をめざしていることからすれば「教授法」より広い意味を持つ言葉にしたかったからである。

　"deep learning" を「深い学び」とせずに「ディープラーニング」としたことについてはすでに述べたとおりである。

　本書の翻訳は、まず、明石書店でOECD報告書の翻訳などを手掛けてこられた濱田久美子さんが訳され、それに編集部の安田伸さんが手を加えられ、さらに松下が原文と照らし合わせながら専門的な観点から手直ししていくという形で進められた。安田さんとは数え切れないほどメールやZoomで訳語や表記について議論した。そういう意味で、本書の翻訳は、濱田さん、安田さん、松下の"三人四脚"でなしとげられたものである。

　とりわけ、安田さんには、本書の企画から刊行にいたる全プロセスにおいてお世話になった。心から感謝の言葉を捧げたい。

2020年8月

松下　佳代

参考文献・資料

Bellanca, J. (Ed.). (2015). *Deeper learning: Beyond 21st century skills*. Bloomington, IN: Solution Tree Press.

ブレイディみかこ (2019)『ぼくはイエローでホワイトで、ちょっとブルー』新潮社.

中央教育審議会 (2016)「幼稚園、小学校、中学校、高等学校及び特別支援学校の学習指導要領等の改善及び必要な方策等について (答申)」.

小柳正司 (2010)『リテラシーの地平：読み書き能力の教育哲学』大学教育出版.

Mehta, J. (2014, June 20). *Deeper learning has a race problem*. (https://blogs.edweek.org/edweek/learning_deeply/2014/06/deeper_learning_has_a_race_problem.html#:~:text=Deeper)

Mehta, J., & Fine, S. (2019). *In search of deeper learning: The quest to remake the American high school*. Cambridge, MA: Harvard University Press.

Tough, P. (2016). *Helping children succeed: What works and why*. New York, NY: Houghton Mifflin Harcourt. (『私たちは子どもに何ができるのか：非認知能力を育み、格差に挑む』ポール・タフ著、高山真由美訳、英治出版、2017年)

山口悦司・出口明子 (2011)「ラーニング・プログレッションズ－理科教育における新しい概念変化研究－」『心理学評論』54(3), 358-371.

Zeiser, K. L., Taylor, J., Rickles, J., Garet, M. S., & Segeritz, M. (2014). *Evidence of deeper learning outcomes. Report #3 Findings from the study of deeper learning: Opportunities and outcomes*. Washington, DC: American Institutes for Research. (https://www.air.org/sites/default/files/downloads/report/Report_3_Evidence_of_Deeper_Learning_Outcomes.pdf)

索　引

━━━ 学校／学区 ━━━

著者紹介

マイケル・フラン　Michael Fullan

　主執筆者。「ディープラーニングのための新しい教育法（New Pedagogies for Deep Learning, NPDL）」グローバル・リーダーシップ・ディレクター。トロント大学オンタリオ教育研究所（Ontario Institute for Studies in Education of the University of Toronto）元所長。教育改革の権威として世界的に評価されている。世界各地で政策立案者や地域のリーダーに対して、すべての子どものための学びという道徳的目的の達成に資する助言を行っている。2012年12月にカナダ勲章を受章。世界の5校の大学から名誉博士号を授与されている。

　多数の著書を執筆。多くの言語で出版されており、賞も受賞している。*Leading in a Culture of Change* は Learning Forward（元 National Staff Development Council）の2002 Book of the Year Award を、*Breakthrough*（ピーター・ヒルとカーメル・クレボラとの共著）は American Association of Colleges for Teacher Education（AACTE）の2006 Book of the Year Award を、*Turnaround Leadership in Higher Education*（ジェフ・スコットとの共著）は2009年に Bellwether Book Award を受賞した。*Change War*（アンディ・ハーグリーブスとの共著）は Learning Forward の2009 Book of the Year Award を、*Professional Capital*（アンディ・ハーグリーブスとの共著）は AACTE の2013 Book of the Year を受賞し、2015年には Grawemeyer Prize ——「ひとつの創造的なアイデアが世界に与えうる力」を認める賞——を受賞した。最新の著書には『The Principal：校長のリーダーシップとは（*The Principal: Three Keys to Maximizing Impact*）』、*Coherence: Putting the Right Drivers in Action*（ジョアン・クインとの共著）、*Indelible Leadership: Always Leave Them Learning*、*The Power of Unstoppable Momentum*（マーク・エドワーズとの共著）がある。現在はオンタリオ州知事と教育大臣の顧問を務めている。

ジョアン・クイン　Joanne Quinn

　コンサルタント、著者、講演者として国際的に活躍しており、システム全体の変革、能力構築、学習、およびリーダーシップに重点を置いた自身のコンサルティング会社の代表を務めている。学習変革に焦点を合わせたグローバルなパートナーシップである「ディープラーニングのための新しい教育法（NPDL）」の共同設立者であり、グローバル・ディレクターでもある。政府、財団、教育システムのコンサルタントを務め、州、国、世界レベルでの包括的なシステム変

革プロジェクトを主導している。オンタリオ州教育省の教育長・実施アドバイザー、トロント大学の継続教育ディレクターとして、教育のあらゆるレベルでリーダーシップを発揮している。Learning Forwardの元代表であり、オンタリオ州支部の初代代表である。

最近の著書には、ベストセラーとなったマイケル・フランとの共著 *Coherence: The Right Drivers in Action for Schools, Districts, and Systems* と、マイケル・フランとエレノア・アダムとの共著 *The Taking Action Guide for Building Coherence in Schools, Districts, and Systems* がある。すべての人にチャンスを拓こうとするリーダーとしての多彩な役割と情熱は、前向きな変化をもたらす彼女独自の視点を与えている。

ジョアン・マッキーチェン　Joanne McEachen

教育指導者として国際的に評価されており、「ディープラーニングのための新しい教育法（NPDL）」では「新たな尺度」開発のグローバル・ディレクターとして、共同設立者であるマイケル・フラン、ジョアン・クインと協力している。

The Learner FirstのCEOであり創設者である。The Learner Firstでの取り組みは、教育に携わった過去30年の経験から、また米国におけるNPDLのパートナーシップから学んだグローバルな教訓に基づいており、システム全体の変革というレンズを通して、測定・評価・教授・学習を根本的に変革している。サービスが最も行き届かない学習者の目を通してシステムを調べ、文化的アイデンティティと個人の関心とニーズを取り入れ、称賛するのがジョアンのやり方である。

専門分野は教育システムのあらゆる層に及ぶ。教師、校長、地域管理者（教育長）を務めたことがあり、ニュージーランドおよび世界の国々でシステム全体の変革を主導している。学校、学区、教育省が直面した問題に直接対応した経験から、デジタルテクノロジーの活用と組み合わせることで、すべての学習者のために学習を深めるツール、プロセス、尺度、思考を提供している。

監訳者・訳者紹介

松下 佳代（まつした・かよ）　MATSUSHITA Kayo ―― 監訳

京都大学高等教育研究開発推進センター 教授。京都大学博士（教育学）。

京都大学大学院教育学研究科博士後期課程学修認定退学。京都大学教育学部助手、群馬大学教育学部助教授、京都大学高等教育教授システム開発センター助教授を経て、2004年より現職。現在、日本カリキュラム学会代表理事、大学教育学会副会長、日本学術会議会員等を務める。専門は、教育方法学、大学教育学。とくに能力、学習、評価をテーマに研究と実践を行っている。

主な著作に、『パフォーマンス評価』（日本標準、2007年）、『〈新しい能力〉は教育を変えるか：学力・リテラシー・コンピテンシー』（編著、ミネルヴァ書房、2010年）、『高校・大学から仕事へのトランジション：変容する能力・アイデンティティと教育』（編著、ナカニシヤ出版、2014年）、『ディープ・アクティブラーニング：大学授業を深化させるために』（編著、勁草書房、2015年）、『アクティブラーニングの評価』（編著、東信堂、2016年）、*Deep Active Learning: Toward Greater Depth in University Education*（ed., Springer, 2017）など。

濱田 久美子（はまだ・くみこ）　HAMADA Kumiko ―― 訳

翻訳家。主な訳書に、『図表でみる男女格差 OECD ジェンダー白書2：今なお蔓延る不平等に終止符を!』（OECD編著、明石書店、2019年）、『環境ナッジの経済学：行動変容を促すインサイト』（経済協力開発機構（OECD）編著、明石書店、2019年）、『世界の行動インサイト：公共ナッジが導く政策実践』（経済協力開発機構（OECD）編著、明石書店、2019年）、『〈OECDインサイト4〉よくわかる持続可能な開発：経済、社会、環境をリンクする』（トレイシー・ストレンジ，アン・ベイリー著、OECD編、明石書店、2011年）、『〈OECDインサイト3〉よくわかる国際移民：グローバル化の人間的側面』（ブライアン・キーリー著、OECD編、明石書店、2010年）など。

教育のディープラーニング
世界に関わり世界を変える

2020 年 9 月 26 日　初版第 1 刷発行

著　者：マイケル・フラン
　　　　ジョアン・クイン
　　　　ジョアン・マッキーチェン
監訳者：松下　佳代
訳　者：濱田　久美子
発行者：大江　道雅
発行所：株式会社 明石書店
　　　　〒 101-0021
　　　　東京都千代田区外神田 6-9-5
　　　　TEL　03（5818）1171
　　　　FAX　03（5818）1174
　　　　http://www.akashi.co.jp
　　　　振替 00100-7-24505

装丁：谷川 のりこ
組版：朝日メディアインターナショナル株式会社
印刷・製本：モリモト印刷株式会社

（定価はカバーに表示してあります）　　　　　　　　　　ISBN978-4-7503-5070-7